Bonne continuation

Approfondissement à l'écrit et à l'oral

Nina M. Furry • Hannelore Jarausch

CAHIER D'EXERCICES

Prentice Hall, Upper Saddle River, NJ 07458

© 2001 by Prentice Hall, Inc.
Pearson Education
Upper Saddle River, NJ 07458

Printed in the United States of America

10 9 8 7 6 5 4

ISBN 0-13-083052-6

TABLE DES MATIÈRES

PREFACE

To the student

This **Cahier**, which accompanies **Bonne continuation**, is divided into five units, paralleling the organization of the textbook. All activities relate directly to the themes and structures of the corresponding sections of the book. Completion of the exercises will prepare you for more active participation in class, help with vocabulary acquisition, guide you in your comprehension of the readings, develop your listening comprehension, and allow you to verify your understanding of the grammatical structures presented. You can consult the **Corrigé**, or answer key, at the end of the **Cahier**, for all exercises that have only one correct answer. This makes it possible for you to work on your own and assume responsibility for your learning. Other activities, however, will require checking by your instructor.

The **Unité préliminaire** exercises focus uniquely on grammar since there are no vocabulary lists in this section and the readings are very brief. The four regular **Unités** follow the pattern of presentation in the textbook. Each section begins with **Pour enrichir votre vocabulaire**, and includes dictionary activities, exercises with word families and cognates, in addition to work with the specific expressions found in the *champs de vocabulaire*. The activities in the subsequent section, **Pour vous préparer à la lecture**, are generally of two types: the first provides vocabulary or grammatical preparation for the reading in question whereas the second orients you more to the context or ideas of the selections. These exercises will usually be done outside of class, before you begin to work with a text in class. If your instructor does not assign them, but you feel you need more help with reading comprehension, you may wish to complete them on your own. A writing topic is proposed at the end of this section to synthesize your ideas after you have completed the readings and discussions.

To develop your abilities to understand spoken French, the section **Pour vous préparer à l'écoute** presents both conversational exchanges between native speakers on the themes of the units and some narratives in the form of additional stories. The context for the passages is explained to you and additional vocabulary is listed to make understanding the oral texts easier. Read through this material and the comprehension questions before you begin to listen. The final section for each unit, **Pour travailler les formes et structures**, is devoted to exercises which check your understanding of the forms and structures presented at the end of each unit in the textbook. All of them use the themes and vocabulary of the unit but focus on applying the structures reviewed. The page numbers for the corresponding explanations in the textbook are given, so that if you find you have not understood something, you know where to look. Answers to the grammar exercises are found in the **Corrigé**, so you can work independently. If you do not understand why your answer and the one proposed do not correspond, be sure to check with your instructor.

We, the authors, hope that the activities in this **Cahier** will provide you with useful additional preparation and practice, facilitate the acquisition of vocabulary and grammatical accuracy, and help you to improve your reading and listening skills.

Bon travail et bonne continuation!
NF & HJ

Many thanks to the French speakers who helped us complete the listening portion of this *Cahier*:

Taïeb Berrada du Maroc
Florence Carayon de la Côte d'Azur
Corinne Gorrier de Vendôme
Elisabeth Marie de Normandie
Estelle Taraud de Bretagne
Nicolas Ziajko de Bretagne

Unité préliminaire

Pour travailler les formes et structures

A. Des généralisations (*Bonne continuation*, pp. 12–13)

Vous discutez avec un oncle qui compare les Français et les Américains. Ses idées sont plutôt stéréo-typées, et pour montrer que vous n'êtes pas d'accord, vous lui parlez de vous et de Jean-Michel, un ami français. Composez le dialogue en utilisant les verbes indiqués et soyez créatif pour expliquer que vous ne ressemblez pas à la description. Suivez la structure du modèle.

> *Modèle : boire*

L'oncle : Les Français boivent trop de vin et nous, les Américains, nous buvons du lait.

Vous : Mais moi, je bois de l'eau minérale et Jean-Michel boit du coca.

1. faire de l'exercice

L'oncle : Les Français _____

Vous : Mais moi, je _____

et Jean-Michel _____

2. lire

L'oncle : Les Français _____

Vous : Mais moi, je _____

et Jean-Michel _____

3. acheter

L'oncle : Les Français _____

Vous : Mais moi, je _____

et Jean-Michel _____

4. croire

L'oncle : Les Français _____

Vous : Mais moi, je _____

et Jean-Michel _____

5. prendre

L'oncle : Les Français _____

Vous : Mais moi, je _____

et Jean-Michel _____

6. offrir

L'oncle : Les Français _____

Vous : Mais moi, je _____

et Jean-Michel _____

7. vouloir

L'oncle : Les Français _____

Vous : Mais moi, je _____

et Jean-Michel _____

8. rendre

L'oncle : Les Français _____

Vous : Mais moi, je _____

et Jean-Michel _____

9. avoir

L'oncle : Les Français _____

Vous : Mais moi, je _____

et Jean-Michel _____

10. écrire

L'oncle : Les Français _____

Vous : Mais moi, je _____

et Jean-Michel _____

Voir le corrigé à la page 139

Pour travailler les formes et structures

B. Mais non ! (*Bonne continuation*, pp. 13–15)

Un nouveau collègue français croit tout savoir sur les Américains. Réagissez à ce qu'il dit en utilisant la négation et le sujet indiqués :

Modèle : Vous mangez tout le temps.

(ne . . . pas) Mais moi, je ne mange pas tout le temps.

1. Les Américains regardent la télévision toute la journée.

(ne . . . pas) Mais mes amis et moi, nous _____

2. Tout le monde aime les films d'épouvante.

(personne . . . ne) Parmi mes amis, _____

3. Vous achetez tout à Walmart.

(ne . . . rien) Pas moi ! Je _____

4. Les Américains portent toujours des jeans.

(ne . . . jamais) Pas mon père. Il _____

5. Vous avez encore envie de discuter ?

(ne . . . plus) Non, je _____

Voir le corrigé à la page 139

C. De retour en France (*Bonne continuation*, pp. 13–15)

Une jeune Française vient de passer un an dans une université en Amérique. Quand ses copains lui

posent des questions sur son séjour, elle répond en utilisant la négation indiquée. Attention au temps.

Modèle : Les copains : Tu as préparé tous tes repas dans le four à micro-ondes ?

L'étudiante : (aucun) Je n'ai préparé aucun repas dans le four à micro-ondes.

1. Les copains : Tu as mangé des steaks et des hamburgers ?

L'étudiante : (ne . . . ni . . . ni) Je suis végétarienne. Je _____

_____

2. Les copains : Tu as souvent parlé français là-bas ?

L'étudiante : (ne . . . jamais) Malheureusement _____

3. Les copains : Les matchs de foot américains t'ont plu ?

L'étudiante : (aucun . . . ne) _____

4. Les copains : Il y a des Américains qui parlent couramment plusieurs langues ?

L'étudiante : (ne . . . guère) Il _____

5. Les copains : Ta famille américaine a déjà visité la France ?

L'étudiante : (ne . . . pas encore) Elle _____

6. Les copains : Il te reste de l'argent après ce voyage ?

L'étudiante : (ne . . . plus) Il _____

Voir le corrigé à la page 139 pour la structure de la phrase.

Unité 1 – Les beaux arts

Pour enrichir votre vocabulaire

I. Travaux de dictionnaire (*Bonne continuation*, pp. 18–19)

A. Qu'est-ce qu'on trouve dans un dictionnaire ?

Cherchez les mots suivants dans un bon dictionnaire français (*Le Petit Robert*, par exemple). Qu'est-ce

que vous y apprenez sur ces mots ? Indiquez le nom du dictionnaire dont vous vous êtes servi, puis :

a) la partie du discours : nom, verbe transitif, verbe intransitif, etc . . .

b) le nombre de définitions

c) les synonymes, s'il y en a

d) les antonymes, s'il y en a

e) la définition qui correspond le mieux à votre idée de ce mot

f) un exemple d'usage

g) d'autres mots de la même famille ou qui ont le même radical [*root*] (adjectifs, noms, verbes, etc . . .)

   NB : Il vous faudra peut-être chercher un peu, mais lisez soigneusement les définitions.

1. l'art _____

_____

_____

_____

2. admirer _____

_____

_____

_____

3. le chef-d'œuvre _____

_____

_____

_____

4. le goût _____

_____

_____

_____

5. peindre _____

_____

_____

_____

B. Familles de mots

Voici une liste de verbes de la même famille que certains mots du champ de vocabulaire. Trouvez

d'abord le mot du champ de vocabulaire qui correspond. Puis écrivez une petite définition du verbe, en

français. Cherchez ensuite au moins un autre mot de la même famille dans le dictionnaire (nom, adjec-

tif, adverbe) pour chaque infinitif.

1. affoler _____

_____

2. rajeunir _____

_____

3. embêter _____

_____

4. priser _____

_____

5. enjoliver _____

_____

6. amollir _____

_____

7. célébrer _____

_____

8. dégoûter _____

_____

9. connaître _____

_____

10. sombrer _____

_____

Voir le corrigé à la page 140

II. Champ de vocabulaire (*Bonne continuation*, pp. 18–19)

A. Des définitions

Trouvez le mot du champ de vocabulaire qui correspond aux définitions ci-dessous.

1. Une personne qui aime, qui a du goût pour l'art _____

2. Rendre réel, faire exister _____

3. Local où travaille un (e) artiste _____

4. Art de juger les œuvres artistiques et littéraires _____

5. Qui suscite une émotion plus ou moins vive _____

6. Aptitude créatrice extraordinaire, surpassant l'intelligence humaine normale _____

7. Endroit public où sont rassemblées des collections d'objets d'art _____

8. Résultat favorable _____

9. Représenter par des traits et des couleurs _____

10. Faculté de discerner et d'apprécier les qualités et les défauts d'une œuvre _____

Voir le corrigé à la page 140

B. Un connaisseur

Remplissez les blancs par le mot du champ de vocabulaire qui convient.

Au début du vingtième siècle, son arrière-grand-père, qui avait fait fortune en Amérique du sud, avait

acheté des tableaux de peintres _____, comme Manet, Renoir, Degas et Monet, dont il

appréciait les _____ vives. Parfois il devait payer des _____ exorbitants, mais pos-

séder ces grands tableaux, ces _____, le rendait heureux. A l'époque on ne reconnaissait

pas toujours le _____ de ces peintres, alors de temps en temps il faisait une très bonne affaire.

C'était un _____ de très bon _____ qui savait choisir les meilleures œuvres. A sa

mort, sa collection _____ cinq cent millions de francs. Il l'avait léguée au Jeu de Paume, le

prédécesseur du _____ d'Orsay, qui a donné son nom à une de ses _____

où on exposait la plupart de sa collection.

Voir le corrigé à la page 140

III. Pour raconter (*Bonne continuation*, pp. 25–26)

A. Pour situer les actions dans le temps

Indiquez, à l'aide des chiffres 1 à 5, l'ordre logique des adverbes suivants: (Attention: il y a plusieurs possibilités.)

plus tard

ensuite

d'abord

enfin

alors

B. Le cadeau

Remplissez les blancs par l'expression convenable, choisie d'après la liste ci-dessous :

avant de / avant que / puis / après / enfin / quand / alors

_____ il a vu le portrait pour la première fois, il voulut tout de suite l'acheter, mais

_____ l'avoir regardé chaque fois qu'il passait devant la vitrine du marchand, il n'était plus

très sûr de son goût. _____ il a demandé l'avis d'un ami qui était critique. Celui-ci lui a con-

seillé d'attendre _____ dépenser tout son argent. Pourtant, il avait peur que quelqu'un d'autre

l'achète _____ il se décide. _____ un jour, le tableau n'était plus dans la vitrine! Qui a

pu l'acheter ? Découragé, il est rentré à la maison, où son ami l'attendait, un gros colis à la main. C'était

le portrait qu'il lui offrait pour fêter ses cinquante ans. _____ il pouvait l'accrocher chez lui et

l'admirer toute la journée.

Voir le corrigé à la page 140

C. Picasso

Remplissez les blancs par l'expression convenable, choisie d'après la liste ci-dessous :

mais / puisque / à cause de / parce que / en plus / pourtant

Je n'aime pas beaucoup l'art abstrait _____ Picasso m'impressionne quand même.

_____ il est né en Espagne mais a passé la plupart de sa vie en France, on le considère comme à la fois espagnol et français. _____ la variété de son œuvre, il est apprécié de beaucoup mais il y a des gens qui détestent ses portraits _____ ils les trouvent grotesques. _____ ils pensent que Picasso se moquait du monde et gagnait trop pour des tableaux insignifiants. _____ il y a plusieurs musées dédiés à son art et chaque exposition de ses tableaux attire des milliers de visiteurs.

Voir le corrigé à la page 140

Pour vous préparer à la lecture

A. La cathédrale (*Bonne continuation*, pp. 21–23)

Vocabulaire

Les verbes

Indiquez le temps (ou le mode) de chaque verbe de la liste et écrivez l'infinitif :

1. il s'arrêta _____

2. il revint _____

3. je vous la céderai _____

4. il appartenait _____

5. écris-moi _____

6. l'étudiant avait demandé _____

7. l'étudiant dut _____

8. Ce fut _____

9. Il fit _____

10. Il lui déplaît _____

Voir le corrigé à la page 140

Les adjectifs

Soulignez les adjectifs neutres et encerclez ceux qui ont un sens péjoratif. Puis trouvez le contraire des adjectifs négatifs.

juste, âgé, vulgaire, sotte, jolie, inquiet, vieil, célèbre, jeune, beaux, méchante

les antonymes : _____

_____

_____

Idées

Quand un étudiant pauvre aime une femme riche, quelles sortes de problèmes peuvent se produire ?

Mentionnez-en au moins trois.

_____

_____

_____

B. Van Gogh (*Bonne continuation*, pp. 27–29)

Vocabulaire

Imaginez que vous avez décidé de suivre un cours de peinture. Faites une liste d'au moins cinq articles dont vous auriez besoin pour ce cours. Quelles couleurs utiliserez-vous de préférence ?

_____   _____

_____   _____

_____   _____

Idées

Dans un paragraphe de cinq à six phrases, décrivez les difficultés qu'un peintre rencontre en poursuivant son métier.

_____

_____

_____

_____

_____

_____

_____

_____

_____

_____

C. Pour faire le portrait d'un oiseau (*Bonne continuation*, pp. 31–33)

Vocabulaire

Trouvez le mot de la colonne A qui correspond à la définition dans la colonne B

A.   B.

1. doucement _____   a. manque de rapidité

2. un bois _____   b. loge garnie de grillages ou de barreaux, où l'on enferme des bêtes

3. bouger _____   c. ensemble des feuilles sur un arbre

4. utile _____   d. changer de place

5. arracher _____   e. avantageux

6. effacer _____   f. détacher avec force

7. une cage _____   g. de façon modérée

8. le feuillage _____   h. espace couvert d'arbres

9. lenteur _____   i. faire disparaître toute trace

Voir le corrigé à la page 140

Idées

Qu'est-ce que vous associez à un oiseau ? Qu'est-ce qu'un oiseau peut symboliser ?

_____

_____

_____

_____

D. Calligrammes (*Bonne continuation*, pp. 36–37)

Associations

Dans votre dictionnaire, cherchez trois mots ou expressions associés avec un des mots ci-dessous (au choix). Puis écrivez des phrases, en utilisant les trois mots trouvés, qui évoquent le mot que vous avez choisi :

la pluie   une cravate   une montre

_____

_____

_____

_____

_____

_____

_____

_____

E. Le Portrait (*Bonne continuation*, pp. 38–43)

Vocabulaire

En français, il y a plusieurs façons d'exprimer l'idée *"to take."* Cherchez les verbes ci-dessous dans votre dictionnaire, puis écrivez une phrase pour chaque verbe, qui en illustre leur usage différent.

prendre _____

apporter _____

amener _____

emmener _____

Idées

En québécois, on désigne par «mouton noir» une personne considérée comme donnant le mauvais exemple dans un groupe (en France, on l'appelle une « brebis galeuse»). Pensez à trois raisons assez détaillées pour lesquelles on dirait qu'un membre de sa famille est un mouton noir.

_____

_____

_____

_____

_____

_____

_____

F. Camille Claudel (*Bonne continuation*, pp. 45–49)

Vocabulaire

Quelles parties du corps voit-on dans une sculpture représentant une personne ? Faites-en une liste, et

écrivez un adjectif pour décrire chacune de ces parties. Soyez créatif et évitez des adjectifs communs

(par exemple *grand, petit,* etc.)

_____

_____

_____

_____

Idées

Ecrivez un petit paragraphe pour décrire trois personnes qui discutent d'une façon animée. Avant

d'écrire, prenez cinq minutes pour regarder attentivement une telle discussion (à la télé, dans une salle

de classe, dans un café, etc . . .)

_____

_____

_____

_____

_____

_____

_____

_____

_____

Nom _____   Cours _____

G. Synthèse

Chacun ses goûts

En utilisant un livre d'histoire de l'art français ou un grand dictionnaire français (ou bien l'Internet), trouvez une description de deux des mouvements artistiques suivants. Indiquez-en quelques caractéristiques principales et nommez au moins deux artistes associé(e)s avec ces mouvements :

le classicisme _____

_____

le réalisme _____

_____

l'impressionnisme _____

_____

l'expressionnisme _____

_____

le cubisme _____

_____

Maintenant, si vous étiez très riche et pouviez acheter un chef-d'œuvre qui représente un de ces mouvements, qu'est-ce que vous choisiriez ? Ecrivez deux paragraphes pour justifier votre choix. Parlez de vos goûts et de ce que vous ferez avec le tableau.

Pour vous préparer à l'écoute

Lettre de Van Gogh

En regardant le texte aux pages 28–29 de *Bonne continuation*, écoutez la lettre de Van Gogh lue par Nicolas Ziajko.

Pour faire le portrait d'un oiseau

En regardant le texte aux pages 32–33 de *Bonne continuation*, écoutez le poème *Pour faire le portrait d'un oiseau* de Jacques Prévert récité par Taïeb Berrada.

Des musées à Paris

Pré-écoute

Contexte : Vous allez entendre deux Françaises, Elisabeth et Estelle, parler de quelques musées à Paris. Elles n'ont pas tout à fait les mêmes goûts. Elisabeth préfère le Musée d'Orsay, le Louvre et le Musée de Cluny. Estelle aime le Musée d'Orsay mais ses musées préférés sont le Musée Rodin et le Musée de Beaubourg.

Elargir vos connaissances : Connaissez-vous déjà ces musées ? Faites un peu de recherche sur l'Internet ou dans des livres sur Paris pour voir des images et en apprendre plus sur ces musées.

Regardez le vocabulaire ci-dessous et lisez les questions de compréhension avant d'écouter leur conversation.

Vocabulaire

Quelques mots apparentés que vous allez entendre :

acquisition	matériaux
architecture	pyramide
collection	restauration
extérieur	tapisserie
intérieur	

D'autres mot utiles à la compréhension :

bassin	*pool*
bâtiment	*building*
bijoux	*jewelry*
bruyant	*noisy*
chouette	*(fam) great, cool*
cirque	*circus*
disposé	*arranged*
hôtel particulier	*private mansion*
intime	*intimate*
se lasser de	*to get tired, weary of*
marbre	*marble*
Moyen Age	*Middle Ages*
parvis	*square*
percer	*(fig) to become known, famous*
pierre	*stone*
queue	*line*
réaménagé	*redesigned*
rez-de-chaussée	*ground floor*
siècle	*century*
sous-sol	*basement*
toit	*roof*
verre	*glass*

Pour vous préparer à l'écoute

Questions de compréhension

A. Musée d'Orsay

1. Avant d'être un musée d'art, le Musée d'Orsay était :

a. une gare

b. un hôtel particulier

c. un palais

2. Elisabeth va au Musée d'Orsay pour voir :

a. les Impressionnistes

b. les tableaux au rez-de-chaussée

c. les statues

3. Décrivez l'œuvre dont elle parle qui se trouve au rez-de-chaussée.

_____

_____

_____

4. Le Musée d'Orsay est bruyant parce que :

a. il y a des travaux de restauration

b. il y a beaucoup de gens

c. il y a une gare à côté

B. Le Louvre

1. Qu'est-ce qu'Elisabeth n'aime pas au Louvre ?

_____

2. Quelles sortes de choses Elisabeth aime-t-elle voir au Louvre, à part les tableaux ?

_____

_____

C. Musée Rodin

1. Qu'est-ce qu'Estelle aime faire au Musée Rodin au printemps ?

_____

_____

2. Avant d'être un musée, qu'était le Musée Rodin ?

_____

3. Citez trois différences entre le Louvre et le Musée Rodin qu'Estelle mentionne ?

_____

_____

_____

_____

D. Musée Cluny

1. De quelle sorte de musée s'agit-il ?

_____

2. Donnez quelques exemples des choses qu'on peut y voir.

_____

_____

E. Beaubourg

1. Pourquoi Elisabeth n'aime-t-elle pas Beaubourg ?

_____

2. Qu'est-ce qui intéresse surtout Estelle au Musée de Beaubourg ?

_____

_____

3. Pourquoi trouve-t-elle ce musée particulièrement intéressant ?

_____

_____

Pour résumer

1. D'après les commentaires d'Elisabeth et d'Estelle, comment peut-on caractériser les différences entre

leurs choix de musées ou d'œuvres ?

_____

_____

2. Quel(s) musée(s) avez-vous envie de visiter après avoir écouté leurs descriptions ? Pourquoi ?

_____

_____

Pour travailler les formes et structures

Le passé (*Bonne continuation*, pp. 52–54)

A. Claude Monet par lui-même

En 1900, Monet atteint la gloire. A l'occasion d'une exposition parisienne, un journaliste lui fait raconter sa vie. Dans l'extrait ci-dessous, il parle de sa jeunesse. Mettez les passages au passé (imparfait, passé composé, plus-que-parfait).

Mon histoire

      Je nais à Paris en 1840, sous le bon roi Louis-Philippe, dans un milieu tout

_____

d'affaires où l'on méprise les arts. Mais ma jeunesse s'écoule au Havre, où mon père

_____

s'est installé vers 1845. Ma jeunesse est essentiellement vagabonde. Je suis un

_____

indiscipliné de naissance ; on ne peut jamais me plier à une règle. C'est chez moi que

_____

j'apprends le peu que je sais maintenant.

_____

      Le collège me fait toujours l'effet d'une prison et je ne peux jamais me résoudre à

_____

y vivre quand le soleil est invitant, la mer belle et qu'il fait si bon courir sur les falaises,

_____

au grand air.

Jusqu'à quatorze ou quinze ans, je vis, au grand désespoir de mon père, cette vie

_____

assez irrégulière, mais très saine. Entre temps, j'ai appris tant bien que mal mes quatre

_____

règles avec un soupçon d'orthographe. Mes études se bornent là. Elles ne sont pas trop

_____

pénibles. Je décore le papier bleu de mes cahiers d'ornements ultra-fantaisistes, et j'y

_____

représente, en les déformant le plus possible, la face ou le profil de mes maîtres.

_____

A quinze ans je suis connu de tout le Havre comme caricaturiste. Ma réputation

_____

est si bien établie qu'on me sollicite de tous côtés. Je décide de me faire payer mes

_____

portraits. Selon la tête des gens je demande dix ou vingt francs. En un mois ma clientèle a doublé.

_____

Voir le corrigé à la page 141

Pour travailler les formes et structures

B. Plus tard, Monet fait son service militaire, en Afrique du Nord.

Il en parle au passé simple et à l'imparfait. Trouvez les verbes au passé simple et mettez-les au passé composé.

J'obtins, sur mes instances, d'être versé dans un régiment d'Afrique et je partis.

Je passai en Algérie deux années qui, réellement, furent charmantes. Je voyais sans cesse du nouveau ; je m'essayais, dans mes moments de loisir, à le rendre. Vous n'imaginez pas à quel point j'y appris et combien ma vision y gagna. Je ne m'en rendis pas compte tout d'abord. Les impressions de lumière et de couleur que je reçus là-bas ne devaient que plus tard se classer, mais le germe de mes recherches futures y était.

passé simple	passé composé
_____	_____
_____	_____
_____	_____
_____	_____
_____	_____
_____	_____
_____	_____

Voir le corrigé à la page 141

Les adjectifs (*Bonne continuation*, pp. 55–56)

C. Parlons de l'art

Récrivez les phrases suivantes en substituant le mot indiqué au mot en italiques. Faites tous les changements nécessaires.

    *Modèle : (peintres) Cet **artiste** est célèbre mais avant de vendre ses tableaux, il était pauvre. Ces peintres sont célèbres mais avant de vendre leurs tableaux, ils étaient pauvres.*

1. (toile) Ce grand *tableau* a été peint vers la fin du 18ème siècle. Il n'est pas très connu mais il est émouvant. C'était le tableau favori d'Ingres.

_____

_____

2. (femme artiste) Ce *peintre* célèbre n'a jamais vendu beaucoup de toiles, alors il était jaloux de son père qui avait eu plus de succès que lui. Malheureusement il est devenu fou et a cessé de peindre.

_____

_____

3. (nature morte) Nous avons vu ce beau *paysage* dans un musée à Amsterdam. Il est élégant, somptueux et un peu ridicule.

_____

_____

4. (couleurs) Tous les amateurs d'art impressionniste admirent les *sujets* vifs et frais de ces peintures. On les trouve gais, jeunes, lumineux et jamais sombres.

_____

_____

5. (exposition) Les critiques n'apprécient pas ce nouveau *musée*. Ils le trouvent froid, trop moderne, mal organisé. Le pire, c'est qu'il est laid.

_____

_____

Voir le corrigé à la page 141

D. Un contraste

Accordez les adjectifs indiqués et placez-les au bon endroit. Faites les changements nécessaires.

L'année (dernier) j'ai travaillé pour une marchande (vieux/gentil) de tableaux

_____

(contemporain). Cette dame (âgé), ma patronne (ancien), n'aimait que ce qui était hyper-

_____

moderne, aux teintes (vif). Tout ce qu'elle avait dans sa galerie (grand) datait d'après

_____

1945 parce qu'elle trouvait les toiles (plus ancien) ennuyeuses, avec leurs cadres (doré),

_____

leurs couleurs (sombre) et leurs sujets sans surprise (aucun). Elle avait un don (vrai) et

_____

reconnaissait le talent des peintres (débutant). Tous les tableaux (nouveau) coûtaient cher

_____

mais on pouvait parfois y trouver des dessins à des prix (plus raisonnable). Elle ne

_____

vendait qu'à une clientèle de collectionneurs (jeune/riche) qui voulaient accrocher ces

_____

œuvres (curieux) d'artistes (inconnu) dans leurs maisons (nouveau) ou leurs bureaux

_____

(impressionnant).

Voir le corrigé à la page 141

Le participe présent (*Bonne continuation*, pp. 56–57)

E. Des proverbes

Un proverbe français dit : «C'est en forgeant qu'on devient forgeron».[1] Cela veut dire qu'en répétant la même action, on apprend à la faire, on devient habile [*skilled*]. Imitez la forme de ce proverbe en utilisant les éléments donnés :

1. peindre/peintre _____

2. danser/danseur _____

3. sculpter/sculpteur _____

4. dessiner/dessinateur _____

5. chanter/chanteur _____

6. écrire/écrivain _____

7. courir/coureur _____

8. nager/nageur _____

9. skier/skieur _____

10. bricoler/bricoleur _____

Voir le corrigé à la page 141

[1] By (through) smithing, one becomes a blacksmith.

La voix passive (*Bonne continuation*, pp. 57–58)

F. Le sort d'une toile

Récrivez les phases suivantes à la voix active. Attention au temps des verbes. N'oubliez pas d'utiliser le pronom «*on*» si l'agent n'est pas connu.

> *Modèle : Ce tableau a été vendu par un pauvre étudiant.*
>
> *Un pauvre étudiant a vendu ce tableau.*

1. Cette aquarelle a été peinte par un inconnu en 1890.

   _____

2. L'artiste avait été oublié pendant un certain temps.

   _____

3. La toile a été découverte dans un grenier il y a 10 ans.

   _____

4. Aujourd'hui cette toile est admirée par tous les amateurs d'art impressionniste.

   _____

5. Le tableau a été acheté par le directeur du musée.

   _____

6. Un prix exorbitant a dû être payé.

   _____

7. Il sera accroché dans la salle d'entrée.

   _____

8. Beaucoup de visiteurs seront attirés par cette aquarelle.

   _____

Voir le corrigé à la page 142

Devoir + infinitif (*Bonne continuation*, pp. 58–59)

G. Des sens possibles

Choisissez le sens du verbe *devoir* dans chacune des phrases suivantes.

1. Le peintre **a dû** vendre sa voiture pour payer son loyer.

a. *must*   b. *had to*   c. *should*   d. *should have*   e. *was supposed to*

2. Tu **devrais** visiter la nouvelle exposition. Les toiles te plairont.

a. *must*   b. *had to*   c. *ought to*   d. *should have*   e. *were supposed to*

3. Nous **aurions dû** acheter cette toile l'année dernière. Elle coûte trop cher maintenant.

a. *must had to*   b. *ought to*   c. *should have*   d. *was supposed to*   e. *should*

4. Il **devait** écrire mais je n'ai pas eu de ses nouvelles.

a. *was supposed to*   b. *ought to*   c. *had to*   d. *should*   e. *should have*

5. Les artistes **doivent** souvent trouver un autre travail.

a. *were supposed to*   b. *have to*   c. *should*   d. *ought to*   e. *should have*

Voir le corrigé à la page 142

Unité 2 – Héritages collectifs

Pour enrichir votre vocabulaire

I. Travaux de dictionnaire (*Bonne continuation*, pp. 62–63)

A. Qu'est-ce qu'on trouve dans un dictionnaire ?

Cherchez les mots suivants dans un bon dictionnaire français (*Le Petit Robert*, par exemple). Qu'est-ce que vous y apprenez sur ces mots ? Indiquez le nom du dictionnaire dont vous vous êtes servi, puis :

a) la partie du discours : nom, verbe transitif, verbe intransitif, etc . . .

b) le nombre de définitions

c) les synonymes, s'il y en a

d) les antonymes, s'il y en a

e) la définition qui correspond le mieux à votre idée de ce mot

f) un exemple d'usage

g) d'autres mots de la même famille ou qui ont le même radical (adjectifs, noms, verbes, etc.)

   NB : Il vous faudra peut-être chercher un peu, mais lisez soigneusement les définitions.

1. l'âme _____

_____

_____

_____

2. le bonheur _____

_____

_____

_____

3. le bien _____

_____

_____

_____

4. ennuyer _____

_____

_____

_____

5. bête _____

_____

_____

_____

Pour enrichir votre vocabulaire

B. Familles de mots (*Bonne continuation*, pp. 62–63)

Voici une liste de verbes de la même famille que certains mots du champ de vocabulaire. Trouvez d'abord le mot du champ de vocabulaire qui correspond. Puis écrivez une petite définition du verbe, en français. Cherchez ensuite au moins un autre mot de cette famille dans le dictionnaire (nom, adjectif, adverbe).

1. marchander _____

_____

_____

2. mourir _____

_____

_____

3. pouvoir _____

_____

_____

4. culpabiliser_____

_____

_____

5. raconter _____

_____

_____

Voir le corrigé à la page 143

Nom _____   Cours _____

II. Champ de vocabulaire (*Bonne continuation*, pp. 62–63)

A. Des définitions

Trouvez le mot du champ de vocabulaire qui correspond aux définitions ci-dessous.

1. Qualité morale qui porte à faire le bien _____

2. Qui est né le premier (par rapport aux enfants) _____

3. S'opposer, mettre un obstacle à _____

4. Instance devant un juge sur un différend _____

5. Personne unie à une autre par mariage _____

6. Ce qui arrive, ce qui se produit _____

7. Personne qui pratique une magie _____

8. Fin, rusé, astucieux _____

9. Qui inspire la crainte _____

10. Opinion trop avantageuse de soi-même, de son importance _____

Voir le corrigé à la page 143

B. Des antonymes

Trouvez dans la colonne B le mot qui a le sens opposé au mot de la colonne A

A.

1. puissant _____
2. punition _____
3. diable _____
4. malin _____
5. campagne _____
6. mort _____
7. orgueilleux _____
8. paysan _____
9. innocent _____

B.

a. stupide
b. humble
c. faible
d. coupable
e. ange
f. ville
g. vie
h. bourgeois
i. récompense

Voir le corrigé à la page 143

Unité 2 – Héritages collectifs

51

C. Le travail agricole

Remplissez les blancs dans le passage ci-dessous par la forme convenable des mots choisis d'après la liste. Faites les changements nécessaires.

récolte / seigneur / champ / bête / paysan

Autrefois, on appelait les agriculteurs ou les fermiers des _____ . Ils n'avaient pas de machines, comme des tracteurs, mais ils se servaient de _____ pour les aider dans leur travail. Comme aujourd'hui, c'était au printemps qu'ils cultivaient leurs _____ . Quand il faisait beau et qu'il y avait assez de pluie, la _____ était bonne mais parfois, ils devaient donner la plupart de ce qu'ils avaient produit au _____ à qui appartenait la terre. C'était une vie difficile.

Voir le corrigé à la page 143

D. Une nouvelle vie

héritage / roi / aîné / cour / cadet / mort / régner

Il était une fois un prince qui s'appelait Philippe, le plus jeune de trois enfants, deux garçons et une fille. Son frère _____ ne pensait qu'à son _____ car il voulait _____ après la _____ de son père, le _____ . Puisque Philippe était le _____ de la famille, il savait qu'il n'hériterait pas le trône et qu'il devrait chercher fortune loin de la _____ . Mais que faire ?

fidèle / campagne / bonheur / paysanne / marchand

En tant que noble, il n'avait pas le droit d'exercer une profession bourgeoise telle que celle de _____ . D'ailleurs, il ne s'intéressait pas du tout au commerce. Ce dont il rêvait, c'était de la vie pastorale, vivre à la _____ , suivi partout d'un chien _____ . Alors il a décidé de chercher une _____ qui accepte de l'épouser.

Comment cette histoire finira-t-elle ? Philippe trouvera-t-il le _____ qu'il cherche ?

Voir le corrigé à la page 143

Pour vous préparer à la lecture

A. Le paysan et le diable (*Bonne continuation* pp. 65–67)

Vocabulaire

Le passé simple : Donnez l'infinitif des verbes conjugués ci-dessous :

1. Il **vit** au milieu du champ un tas de charbons rouges et brûlants. _____

2. Le paysan y **alla** voir d'un peu plus près. _____

3. Il **fut** étonné en s'approchant. _____

4. Cette proposition **plut** au diable. _____

5. Le temps de la récolte **vint**. _____

Voir le corrigé à la page 143

Idées

1. De quelles plantes mange-t-on la partie qui pousse sous la terre, c'est-à-dire les racines ? Trouvez-en au moins quatre. _____

_____

_____

2. De quelles plantes mange-t-on la partie qui pousse sur la terre ? Trouvez-en au moins quatre.

_____

_____

B. La Belle et la Bête (*Bonne continuation*, pp. 69–83)

Vocabulaire et contexte

On peut souvent deviner le sens d'un mot inconnu à partir du contexte. Dans les phrases suivantes, tirées du conte, que veulent dire les mots en caractères gras ?

1. Son cheval . . . voyant une grande **écurie** ouverte, entra dedans, et ayant trouvé du **foin** et de l'**avoine**, le pauvre animal, qui mourait de faim, se jeta dessus avec beaucoup d'avidité. Le marchand l'attacha dans l'**écurie**.

_____

_____

_____

2. Comme la pluie et la neige **l'avaient mouillé jusqu'aux os**, il s'approcha du feu pour **se sécher**.

_____

3. Comme il était minuit passé et qu'il était **las**, il prit le parti de fermer la porte et de se coucher.

_____

4. Retourne dans la chambre où tu as couché: tu y trouveras un grand **coffre** vide; tu peux y mettre tout ce qu'il te plaira, je le ferai porter chez toi.

_____

Voir le corrigé à la page 143

Idées

Au dix-huitième siècle en France, l'époque où Madame Leprince de Beaumont a écrit ce conte, on admirait les gens d'esprit. Ce mot «esprit» a plusieurs sens en français et ne se traduit pas facilement.

Dans le conte, la Bête dit qu'il n'a pas d'esprit :

«outre que je suis laid, je n'ai point d'*esprit*, je sais que je ne suis qu'une bête»

«Si j'avais de l'*esprit*, je vous ferais un grand compliment . . . mais je suis un stupide . . . »

L'auteur décrit les soirées que la Belle et la Bête passent ensemble : «la Bête lui rendait visite, l'entretenait pendant le souper avec assez de bon sens, mais jamais avec ce qu'on appelle *esprit* dans le monde.»

Une des sœurs épouse «un homme qui avait beaucoup d'*esprit*, mais il ne s'en servait que pour faire enrager tout le monde, à commencer par sa femme.»

Que veut dire le mot «esprit» dans ce contexte ? Et quels sont les différents sens du mot «bête»?

_____

_____

_____

_____

C. Dis-moi, lune d'argent (*Bonne continuation*, pp. 85–87)

La poésie

Comment la poésie est-elle différente de la prose ? Pensez à la forme, au contenu, et aux raisons pour lesquelles on écrit de la prose ou des poèmes.

La forme :

la prose _____

_____

la poésie _____

_____

Le contenu :

la prose _____

_____

la poésie : _____

_____

Les raisons :

la prose _____

_____

la poésie _____

_____

Idées

Pour quelles raisons un enfant ne ressemble-t-il pas toujours à ses parents ? Dans la littérature traditionnelle, que pense le mari quand l'enfant de sa femme ne lui ressemble pas ? Comment réagit-il ?

_____

_____

_____

_____

D. La première nuit (*Bonne continuation*, pp. 90–97)

Vocabulaire

Dans la nature, tout ce qui est vivant reproduit, c'est-à-dire, a des «enfants». Une chatte a des chatons,

une chienne a des chiots, une brebis a des agneaux, etc. Un écrivain peut s'amuser en étendant cette

idée à des objets inanimés, par exemple : quels seraient les enfants d'un rocher ? Peut-être une pierre,

des cailloux, même des grains de sable. En suivant ce modèle, quels seraient les enfants d'une route ?

_____

Idées

Qu'est-ce qui se passe quand on révèle un secret ? Comment réagit la personne à qui on a promis de ne

rien dire aux autres ?

_____

_____

_____

E. Raconte-moi (*Bonne continuation*, pp. 99–100)

Idées

Dans une culture sans tradition écrite, comment se souvient-on du passé ?

Pour quelles raisons devrait-on se souvenir du passé d'un peuple ? D'une ethnie ? Qu'est-ce qu'on perd

quand on oublie le passé ?

_____

_____

_____

_____

_____

_____

F. Synthèse

Choisissez un conte que vous connaissez assez bien (Cendrillon, Blanche-Neige, la Belle au bois dor-

mant, etc.) et trouvez-lui une fin différente.

Pour vous préparer à l'écoute

Dis-moi, lune d'argent

En regardant le texte à la page 87 de *Bonne continuation*, écoutez la chanson *Dis-moi, lune d'argent* chantée par le groupe Mécano.

A. La tour jusqu'à la lune

Pré-écoute

Contexte : Regardez le titre du conte que vous allez entendre raconter par Taïeb Berrada. Donnez un exemple d'une tour très élevée que vous connaissez en Europe ou aux Etats-Unis. Dans ce conte il s'agit de la construction d'une tour allant à la lune. Est-il possible de construire une telle tour ? Expliquez.

_____

_____

_____

Vocabulaire

Quelques verbes que vous allez entendre

(La narration de cette histoire se fait au passé simple. Mettez au passé composé ces verbes que vous allez entendre en vérifiant le sens) :

il décida _____   le roi arriva _____

les gens tinrent conseil_____   il se mit à escalader _____

quelqu'un eut _____   le roi finit _____

les autres trouvèrent_____   les gens crièrent_____

on fit_____   ils firent _____

les gens durent_____   il se cassa_____

Quelques expressions négatives que vous allez entendre

ne . . . jamais   ne . . . personne

ne . . . nulle part   ne . . . plus

ne . . . que

Quelques mots utiles à la compréhension

bois	*wood*
boîte	*box*
caisse	*crate*
dégringoler	*to tumble, to fall*
s'écrouler	*to crumble*
entasser	*to stack*
fracas	*crash, din*
planche	*board*
retirer	*to pull out or away from*

Questions de compréhension

1. Pourquoi le roi dormait-il le jour ?

_____

2. Que voulait-il faire ? Pourquoi ?

_____

3. Que voulait-il que les gens de son pays fassent ?

_____

4. Avec quoi ont-ils décidé de construire ce que le roi voulait ?

_____

5. Quel était le problème quand le roi est arrivé en haut ?

_____

6. Le roi voulait plus de bois. Etait-il possible de le satisfaire ? Expliquez.

_____

7. Quelle était la solution du roi ?

_____

8. Qu'est-ce qui est arrivé au roi à la fin ?

_____

Pour résumer

1. On peut résumer ce conte en l'analysant selon la structure suivante : problème, solution, con-séquence. Complétez les phrases suivantes pour reconstruire l'essentiel de l'histoire.

1er problème : Le roi ne pouvait pas _____

1ère solution : Alors, il a dit à son peuple de _____

1ère conséquence : En faisant ce que le roi voulait, les gens _____

_____

2ème problème : La tour n'était pas _____

2ème solution : Alors, le roi a dit au gens de _____

2ème conséquence : Quand les gens ont fait ce que le roi a commandé, _____

_____

2. Que pensez-vous du roi ? Expliquez.

_____

B. Tom Pouce

Pré-écoute

Contexte : Dans cette histoire, racontée par Corinne Gorrier, il s'agit d'un garçon appelé Tom Pouce. Le mot pouce veut dire *thumb* en anglais. Si vous étiez aussi petit(e) qu'un pouce, que pourriez-vous faire ? Pensez à trois actions positives et trois actions négatives.

_____

_____

_____

_____

_____

_____

Vocabulaire

On peut diviser ce conte en trois parties. Regardez le titre proposé pour chaque partie de l'histoire et les mots de vocabulaire que vous allez entendre :

1. La naissance et la vie de Tom Pouce

un boeuf	*ox*
un brigand	*outlaw*
labourer	*to plow*
souffler	*to blow*

2. L'aventure avec les brigands

s'échapper	*to escape*
se glisser	*to slip*
ligoter	*to tie up*
la serrure	*doorlock*

3. Le retour de Tom Pouce

aboyer	*to bark*
une araignée	*spider*
grimper	*to climb*
un fil	*thread*
la fourrure	*fur*

4. Quelques verbes que vous allez entendre

La narration de ce conte est au passé simple. Mettez au passé composé ces verbes que vous allez entendre en vérifiant le sens :

des brigands passèrent_____   il sut _____

le chef apprit _____   ils prirent_____

il alla_____   il monta_____

ils firent _____   il grimpa_____

ils trouvèrent _____   les gens se réveillèrent _____

il devint _____   ils furent _____

Nom _____   Cours _____

Questions de compréhension

1. Que désirait le vieux couple ?

_____

2. Selon le chef des brigands, que devait faire le couple pour réaliser ce désir ?

_____

3. Décrivez Tom Pouce au moyen de deux adjectifs, l'un pour une description physique et l'autre pour une description morale.

_____

4. Qu'a-t-il fait pour aider ses parents ?

_____

5. Pourquoi les brigands ont-ils emporté Tom Pouce ?

_____

6. Comment Tom Pouce était-il utile aux brigands ?

_____

7. Quel était le plus grand désir de Tom Pouce ?

_____

8. Qu'a-t-il fait pour s'échapper ?

_____

9. Qu'est-ce qui est arrivé aux brigands ?

_____

10. Comment Tom Pouce a-t-il pu rentrer à la fin ?

_____

Pour résumer

1. Quels sont les éléments fantastiques dans ce conte ?

_____

_____

2. Y a-t-il une morale à tirer des événements de l'histoire ?

_____

_____

Raconte-moi

En regardant le texte à la page 100 de *Bonne continuation*, écoutez le poème *Raconte-moi* de Véronique Tadjo, récité par Florence Carayon.

Pour travailler les formes et structures

La comparaison (*Bonne continuation*, pp. 102–103)

A. Comparez les situations et les personnages, en utilisant les éléments donnés.

Faites les changements nécessaires. Attention aux accords !

– infériorité   + supériorité   = égalité

Modèle : On/connaître/bien/les contes des frères Grimm/les contes de Perrault (+).

On connaît mieux les contes des frères Grimm que les contes de Perrault.

1. Un roi/avoir/les biens/un paysan. (+)

   _____

2. La maison d'un paysan/être/luxueux/un palais (–)

   _____

3. Cette fille/chanter/doucement/la reine (=)

   _____

4. Les fées/être/gentil/les sorciers (+)

   _____

5. Un seigneur/avoir/le pouvoir/un noble (=)

   _____

6. Cette princesse/danser/bien /sa sœur (+)

   _____

7. Un paysan/travailler/dur/un marchand (+)

   _____

8. Ces époux/se disputer/mes parents. (=)

   _____

9. En général, les pères/passer/le temps/avec leurs enfants/les mères (–)

_____

10. Les versions originales des contes de fées/être/bon/les dessins animés (+)

_____

Voir le corrigé à la page 144

B. C'est extraordinaire

Un sorcier et un diable se disputent au sujet de leurs pouvoirs et de leurs possessions. Quand le sorcier se vante [brags], le diable le contredit avec une phrase au superlatif.

> _Modèle : Le sorcier : Je suis très fort._
>
> _Le diable : Mais moi, je suis le plus fort._

1. Le sorcier : Je suis très intelligent.

   Le diable : _____

2. Le sorcier : Je fais peur aux gens.

   Le diable : _____

3. Le sorcier : Je me comporte toujours très mal.

   Le diable : _____

4. Le sorcier : Ma femme est très bonne.

   Le diable : _____

5. Le sorcier : J'habite un grand palais.

   Le diable : _____

6. Le sorcier : Je sais bien voler.

   Le diable : _____

7. Le sorcier : Mes serviteurs sont fidèles.

   Le diable : _____

Voir le corrigé à la page 144

Pour travailler les formes et structures

Le futur (*Bonne continuation*, pp. 103–104)

C. Aujourd'hui et demain

Tout ira mieux. Pour convaincre une bergère *[shepherdess]* de l'épouser, le prince lui raconte ce que lui réserve la vie qu'ils partageront ensemble dans l'avenir. Mettez les verbes au futur et utilisez les expressions données pour la convaincre. Faites les changements nécessaires.

> *Modèle : Maintenant tu n'as qu'une vieille robe. Avec moi/ tu/ porter/ beaucoup/ beau/robes*
>
> *Avec moi tu porteras beaucoup de belles robes.*

1. Maintenant tu habites une toute petite maison. Bientôt nous/vivre/dans/grand/palais.

   _____

2. Ton père travaille très dur. Chez nous/il/faire la sieste/tous/les jours.

   _____

3. Tu t'ennuies souvent. Avec moi/tu/ne...jamais/s'ennuyer. Nous/s'amuser tout le temps.

   _____

4. Je n'ai que deux serviteurs. Après notre mariage/je/avoir/dix domestiques.

   _____

5. Tes amies se moquent de toi. A l'avenir, elles/être/jaloux de toi.

   _____

6. Nous ne voyageons jamais. Pour notre voyage de noces, nous/aller/Paris.

   _____

7. Tu ne manges que des pommes de terre. Avec moi, tu/pouvoir/manger/des huîtres

   _____

8. Ta mère fait le ménage toute seule. Chez nous, elle/ne...plus devoir/le faire

   _____

9. Tes sœurs s'occupent des moutons. Avec nous, elles/pouvoir/chanter et danser.

_____

10. Ta famille et toi, vous vous couchez sur de la paille. Dans notre palais, vous/se coucher/dans de

grands lits douillets [*soft*].

_____

Voir le corrigé à la page 144

Pour travailler les formes et structures

Le conditionnel (*Bonne continuation*, pp. 104–105)

D. Vingt ans après, l'ancienne bergère, devenue reine, parle avec son mari de ce qu'ils s'étaient promis en tant que jeunes mariés.

Finissez les phrases en utilisant les éléments donnés. Attention au temps des verbes. On parle du futur dans le passé.

> Modèle : *Je t'ai dit : « Je t'obéirai. » Je t'ai dit que je t'obéirais.*

1. La femme : Tu m'as dit : « Je t'aimerai toujours. »

_____

2. Le mari : Nos parents ont juré : « Nous te respecterons ».

_____

3. La femme : Je me disais : « Je ne ferai plus la cuisine. »

_____

4. Le mari : Nous pensions : « La vie sera toujours facile. »

_____

5. La femme : Tu m'as promis : « Nous aurons cinq enfants. »

_____

Voir le corrigé à la page 145

Les phrases de condition (*Bonne continuation*, pp. 105–106)

E. « La première nuit », un conte africain, explique l'origine de la nuit en racontant l'histoire d'un homme qui veut avoir des enfants. (voir *Bonne continuation*, pp. 90–97)

Choisissez la condition qui pourrait terminer la phrase. Attention au mode et au temps des verbes.

1. Le mari ne serait pas parti

   a. si ses femmes sont enceintes.

   b. si ses femmes avaient eu des enfants.

   c. si ses femmes seront moins méchantes

2. Sa femme serait restée avec lui

   a. s'il n'avait pas révélé leur secret.

   b. s'il était plus intelligent.

   c. s'il est riche.

3. Leurs enfants seraient encore en vie

   a. si leur père les aime.

   b. si leur père les avaient protégés.

   c. si leur père les protégeraient.

4. Les premières femmes n'auraient pas trouvé leur mari

   a. si elles seraient contentes sans lui.

   b. s'il leur a expliqué pourquoi il voulait partir.

   c. si la Route n'avait pas été si indiscrète.

5. Le soleil ne se serait pas couché

   a. si l'homme tenait sa promesse

   b. si l'homme avait tenu sa promesse

   c. si l'homme tiendrait sa promesse

Voir le corrigé, p. 145

F. Des conséquences curieuses. (Voir *Bonne continuation*, p. 87)

Mettez les verbes entre parenthèse à la forme qui convient.

     Modèle : *Si la lune n'avait pas donné un mari à la gitane elle* _____ *(pleurer)*

aurait pleuré.

1. Si la gitane avait pu trouvér un mari, elle _____ à la lune. (ne pas parler)

2. Si la gitane n'avait pas parlé à la lune, elle _____ d'enfant (ne pas avoir)

3. Si elle n'avait pas eu d'enfant, le gitan _____ (ne pas la tuer)

4. S'il ne l'avait pas tuée, la lune _____ bercer le bébé (ne pas pouvoir)

5. Si Mecano n'avait pas écrit cette chanson, nous _____ (ne pas la lire)

Voir le corrigé p. 145

Questions (*Bonne continuation*, pp. 106–107)

G. Vous et les contes

Mettez la forme correcte du pronom ou de l'adjectif interrogatif

1. _____ t'a raconté des histoires quand tu étais petit ?

2. _____ conte t'a fait peur ?

3. _____ tu as admiré parmi les personnages de *la Belle et la Bête* ?

4. _____ se passe dans ton conte favori ? Raconte-le-moi.

5. _____ vas-tu lire à tes enfants ?

6. _____ tu penses des versions Disney des contes traditionnels ?

7. _____ a écrit les contes les plus tristes, les frères Grimm ou Hans Christian Andersen ?

8. _____ version du Petit Chaperon Rouge préfères-tu ?

9. _____ pensent les psychologues des contes ?

10. Pour _____ raisons les enfants aiment-ils les contes ?

11. A _____ penses-tu quand je dis « le grand méchant loup » ?

Voir le corrigé à la page 145

H. La pauvre Bête

Posez la question de la Bête qui évoquerait la réponse donnée par la Belle.

> *Modèle :* Bête : *Comment me trouves-tu ?*
>
> Belle : *Je te trouve très laide.*

1. Bête : _____

   Belle : Je ne veux pas t'épouser parce que tu es trop laide.

2. Bête : _____

   Belle : J'ai vu mon père malade dans le miroir.

3. Bête : _____

   Belle : Je voyagerai à cheval.

4. Bête : _____

   Belle : Je reviendrai dans huit jours.

5. Bête : _____

   Belle : Je passerai du temps avec ma famille.

Voir le corrigé à la page 145

Unité 3 – Amitiés et amours

Pour enrichir votre vocabulaire

I. Travaux de dictionnaire (*Bonne continuation*, pp. 110–111)

A. Qu'est-ce qu'on trouve dans un dictionnaire ?

Cherchez les mots suivants dans un bon dictionnaire français (*Le Petit Robert*, par exemple). Qu'est-ce que vous y apprenez sur ces mots ? Indiquez le nom du dictionnaire dont vous vous êtes servi, puis :

a) la partie du discours : nom, verbe transitif, verbe intransitif, etc . . .

b) le nombre de définitions

c) les synonymes, s'il y en a

d) les antonymes, s'il y en a

e) la définition qui correspond le mieux à votre idée de ce mot

f) un exemple d'usage

g) d'autres mots apparentés au mot (adjectifs, noms, verbes, etc . . .) NB : Il vous faudra

  peut-être chercher un peu, mais lisez soigneusement les définitions.

1. l'amour _____

_____

_____

_____

2. l'amitié _____

_____

_____

_____

3. rompre _____

_____

_____

_____

4. le rapport _____

_____

_____

_____

5. décevoir _____

_____

_____

_____

B. Famille de mots

Voici une liste de noms apparentés aux verbes du champ de vocabulaire. Trouvez d'abord le verbe qui

correspond. Puis écrivez une petite définition du nom, en français. Cherchez ensuite au moins un autre

mot apparenté dans le dictionnaire (adjectif, adverbe, verbe)

1. l'énervement _____

_____

2. la plainte _____

_____

3. l'explication _____

_____

4. l'aveu _____

_____

5. l'entente _____

_____

Voir le corrigé à la page 146

Pour enrichir votre vocabulaire

II. Champ de vocabulaire (*Bonne continuation*, pp. 110–111)

A. Des définitions

Trouvez le mot du champ de vocabulaire qui correspond aux définitions ci-dessous.

1. promesse solennelle de mariage, échangée entre futurs époux _____

2. tomber amoureux subitement _____

3. devenir de plus en plus nerveux, agité _____

4. se comprendre l'un l'autre _____

5. préoccupé _____

6. entourer de soins, de tendresse, traiter délicatement _____

7. rencontrer, voir fréquemment _____

8. se séparer _____

9. le siège des sensations et émotions _____

Voir le corrigé à la page 146

B. Des antonymes

Trouvez dans la colonne B le mot qui a le sens opposé au mot de la colonne A.

A.	B.
1. insouciant _____	a. retrouver
2. s'entendre bien _____	b. dissimuler
3. s'intéresser _____	c. par accident
4. quitter _____	d. s'ennuyer
5. exprès _____	e. se calmer
6. avouer _____	f. indifférent
7. attentionné _____	g. rompre
8. s'énerver _____	h. préoccupé

Voir le corrigé à la page 146

C. Une histoire tragique

Remplissez les blancs dans le passage ci-dessous par la forme convenable des mots choisis d'après la liste. Faites les changements nécessaires.

s'entendre / installé / l'homme de ma vie / quitter / fiancé / inviter / le coup de foudre

Un jour, en me promenant dans une ville étrangère, j'ai dû demander le chemin à un passant. C'était un homme, la trentaine environ, qui n'avait rien d'extraordinaire, mais quand il m'a répondu, d'une voix douce « Désolé, mademoiselle, je ne suis pas d'ici », c'était le _____. Alors, pour ne pas le voir disparaître tout de suite, je l'ai remercié très gentiment en lui expliquant que moi non plus, je ne connaissais pas cette ville où je faisais un voyage d'affaires. Quel bonheur ! Il me _____ à prendre un café. Trois heures plus tard, je suis rentrée à mon hôtel, croyant avoir trouvé _____. Nous _____ si bien ; nous avions les mêmes idées, les mêmes principes, les mêmes goûts en musique. Je me voyais déjà _____, même mariée et _____ avec lui dans une jolie petite maison à la campagne. Quel beau rêve ! Et puis le téléphone a sonné. C'était lui qui m'appelait pour m'expliquer qu'il devait _____ la ville le soir même parce que sa femme avait eu un accident. Hélas !

Voir le corrigé à la page 146

D. La vie conjugale

Remplissez les blancs dans le passage ci-dessous par la forme convenable des mots choisis d'après la liste. Faites les changements nécessaires.

femme au foyer / manquer / quitter / s'embrasser / partir / facile à vivre / marier /

se marier / épouser / bonne humeur / embrasser

Mes parents sont ensemble depuis longtemps mais ils n'avaient pas toujours la vie facile. Mon grand-père, d'origine algérienne, croyait qu'il avait le droit de _____ sa fille à un homme de son choix, mais ma mère ne voulait pas _____ celui qu'il avait choisi pour elle. Alors elle _____ son village pour rejoindre sa sœur en France. Sa mère lui _____ au début mais elle s'est vite fait des amies et a appris à apprécier la liberté d'une femme française. C'était au travail qu'elle a rencontré celui qui allait devenir mon père. Il voulait la _____ la première fois qu'ils sont sortis ensemble, ce qui l'a gênée, mais elle est quand même tombée amoureuse de lui. Ils _____ à la mairie, avec ma tante et son mari comme témoins. Bien sûr, ils étaient tous les deux assez pauvres et n'ont pas pu _____ en voyage de noces. Mon père a dû travailler dur puisque ma mère est tombée enceinte et devait rester à la maison. C'est une femme de _____ qui s'est vite habituée à la vie de _____. Et mon père, qui est généralement _____ a eu du succès dans les affaires. Après trente ans de mariage, ils _____ encore comme de jeunes amoureux.

Voir le corrigé à la page 146

E. Inventez leur histoire

En utilisant les expressions données (vous pouvez changer l'ordre) écrivez une petite histoire d'amour au passé. Choisissez d'abord des noms pour vos personnages.

Personnages : _____

se rencontrer / intéresser / fréquenter / s'installer / s'occuper / partager /

se rendre compte que / se sentir / se plaindre

(trouvez d'outres verbes pour finir votre histoire)

_____

_____

_____

_____

_____

_____

_____

_____

_____

_____

_____

_____

Pour enrichir votre vocabulaire

Pour vous préparer à la lecture

A. Eloge de l'amitié (*Bonne continuation*, pp. 113–116)

Vocabulaire

Les oppositions

Notez cinq adjectifs ou expressions qui décrivent votre caractère et cinq verbes ou expressions qui indiquent comment vous aimez passer votre temps libre. Puis trouvez leurs contraires.

Mon caractère : _____

_____

le contraire : _____

_____

Ce que j'aime faire : _____

_____

_____

le contraire : _____

_____

Idées

Un(e) ami(e) qui vous a marqué

Ecrivez un petit paragraphe pour décrire un(e) ami(e) qui a joué un rôle important dans votre vie.

Comment était-il(elle) ? Comment est-ce qu'il(elle) vous a influencé ?

_____

_____

_____

_____

_____

_____

_____

_____

_____

B. Ma grand-mère toute puissante (*Bonne continuation*, pp. 119–129)

Thèmes

Pourquoi un enfant s'inquiète-t-il quand on l'envoie passer du temps chez ses grands-parents ?

_____

_____

Que font les grands-parents pour amuser leurs petits-enfants ?

_____

_____

Vocabulaire

Dans la nouvelle de Gabrielle Roy, la grand-mère fait une poupée pour la narratrice, Christine. Voici une liste de mots (A) utilisés pour expliquer comment et de quoi elle la fait. Trouvez l'équivalent anglais dans la colonne B.

A.

B.

1. coudre _____   a. *leather*

2. la laine _____   b. *travel cape*

3. des bouts d'étoffe _____   c. *wig*

4. la paille _____   d. *to sew*

5. un sac d'avoine _____   e. *shoes*

6. du cuir _____   f. *lipstick*

7. une perruque _____   g. *wool*

8. du rouge à lèvres _____   h. *pieces of fabric*

9. des souliers _____   i. *a sack of oats*

10. une pèlerine de voyage _____   j. *straw*

Voir le corrigé à la page 146

C. Colloque sentimental (*Bonne continuation*, pp. 132–133)

Vocabulaire

Quels mots associez-vous (adjectifs, noms, verbes, adverbes) à un amour disparu ?

_____

_____

Quand vous pensez à un rapport amoureux que vous avez eu autrefois, quels mots vous viennent à l'esprit ?

_____

_____

D. L'amour au Val Fourré (*Bonne continuation*, pp. 135–138)

Questions

Vous êtes journaliste et faites un reportage sur la vie amoureuse des jeunes d'une autre ethnie. Ecrivez cinq questions que vous poseriez pour commencer votre reportage.

_____

_____

_____

_____

_____

Thème

Quels problèmes se présentent quand les parents viennent d'une autre culture que celle dans laquelle leurs enfants grandissent ? Par exemple, quelles difficultés rencontre un(e) adolescent(e) américain(e) dont les parents ont immigré d'un pays où les mariages sont arrangés par la famille ?

_____

_____

_____

_____

_____

_____

_____

E. Mère Awa (*Bonne continuation*, pp. 141–142)

Idées

Comment réagit-on à la mort d'une personne qu'on aime ? Que fait-on pour se souvenir de cette

personne ?

_____

_____

_____

F. La femme du pionnier (*Bonne continuation*, p. 144)

Idées

Quand une femme reste au foyer pendant que son mari travaille en dehors de la maison, de quoi se

plaint-elle, d'habitude ? Que fait le mari quand il rentre du travail ? Décrivez la situation quand tous les

deux travaillent en dehors de la maison ?

_____

_____

_____

_____

_____

G. Synthèse

Pour vous, qu'est-ce qui est plus important, l'amitié ou l'amour ?

Pour vous préparer à l'écoute

Qu'est-ce que l'amitié pour toi ?

Pré-écoute

Contexte : Elisabeth et Taïeb parlent de ce qui est important pour eux dans l'amitié. Ils donnent aussi leurs impressions de l'attitude américaine en ce qui concerne les amis. Regardez le vocabulaire ci-dessous et lisez les questions de compréhension avant d'écouter leur conversation.

Vocabulaire

Quelques mots apparentés que vous allez entendre

évoluer	sacré
fréquence	sincère
idéaliser	superficiel
qualité	

D'autres mots utiles à la compréhension

entretenir	*to maintain*
fausses jumelles	*not identical twins*
fidèle	*faithful*
des hauts et des bas	*ups and downs*
légèreté	*fickleness*
proche	*close*
relation	*relationship*
repérer (se)	*to get one's bearings*
ressentir	*to sense, to feel*
rapports	*relationship, rapport*

Questions de compréhension

1. Depuis quand Elisabeth connaît-elle ses amies Catherine et Christine ? Pourquoi n'ont-elles pas beaucoup de contact maintenant ? Que pense-t-elle de l'avenir de cette amitié ?

_____

_____

_____

2. Quelle définition de l'amitié Taïeb a-t-il ?

_____

3. Qu'est-ce qui caractérise les vrais amis selon Elisabeth ?

_____

4. Qu'est-ce que Taïeb trouve vraiment important pour entretenir une relation d'amitié ?

_____

5. Est-ce que la fréquence du contact est la plus importante selon Elisabeth ? Expliquez.

_____

6. Qu'est-ce qu'elle trouvait difficile à accepter chez les étudiants américains qu'elle a connus ?

_____

7. Quelle différence y a-t-il entre le concept des meilleurs amis, chez les étudiants américains, et celui de Taïeb, selon lui ?

_____

_____

Pour résumer

Quelle comparaison générale font-ils de l'amitié en France et aux Etats-Unis ?

Êtes-vous d'accord avec leur caractérisation de l'amitié chez les étudiants américains ?

Sinon, qu'est-ce que vous pourriez leur dire, d'après votre expérience, pour les convaincre de votre point de vue ?

_____

_____

_____

_____

Mes grands-parents

Pré-écoute

Contexte : Estelle raconte quelques souvenirs de ses grands-parents maternels et paternels. Regardez le vocabulaire ci-dessous et lisez les questions de compréhension avant d'écouter son histoire.

Vocabulaire

Quelques mots utiles à la compréhension

chaleureuse	*warm*
couturière	*seamstress*
compôte de pommes	*applesauce*
décédé	*deceased*
feuille	*leaf*
forgeron	*blacksmith*
gâter	*to spoil*
l'Ile d'Yeu	*island off the coast of Brittany*
marin-pêcheur	*fisherman*
pâtois	*dialect*
retrouvailles	*reunion*
rosier	*rosebush*
surnom	*nickname*

Questions de compréhension

1. Comment Estelle appelait-elle ses grands-parents maternels ? Et ses grands-parents paternels ?

_____

_____

2. Pourquoi Estelle ne voyait-elle pas souvent ses grands-parents maternels ? Qu'est-ce qu'ils faisaient pour elle, ou avec elle ?

_____

_____

3. Que faisaient-ils ensemble quand elle allait chez eux ?

_____

_____

4. Pourquoi Estelle avait-elle une relation différente avec ses grands-parents paternels ?

_____

_____

5. Quel est le seul grand-parent encore vivant d'Estelle et comment sont leurs rapports ?

_____

_____

6. Parlez des activités et de la personnalité de la grand-mère paternelle d'Estelle.

_____

_____

_____

7. Pourquoi sa grand-mère est-elle forte et positive selon Estelle ?

_____

_____

8. Pourquoi Estelle pense-t-elle que c'était un événement quand ses grands-parents maternels ont rencontré ses grands-parents paternels, pour la première fois ?

_____

_____

9. Comment Estelle voit-elle la mort de ses grands-parents maternels ?

_____

Nom _____   Cours _____

Anecdotes sur Mami

Pré-écoute

Contexte : Estelle raconte deux anecdotes pour illustrer que Mami a parfois la tête en l'air (*absent minded*). Regardez le vocabulaire et lisez les questions de compréhension avant d'écouter les anecdotes.

Vocabulaire

Quelques mots utiles à la compréhension

boudin	*blood sausage*
brasser	*to stir*
cerner	*to figure out*
cuisinière	*cook*
déguster	*to savor*
faire cuire	*to cook*
flan	*custard*
langue de bœuf	*beef tongue*
madère	*port wine*
Pâques	*Easter*
pruneaux	*prunes*
ramollo	*too soft, mushy*
rouspéter	(fam) *to complain*

Questions de compréhension

1. Quelles étaient les trois spécialités de Mami pour le repas de Pâques ?

_____

2. Qu'est-ce qu'elle avait oublié de faire la première année ? Quel en était le résultat ?

_____

_____

3. Qu'est-ce qu'elle avait oublié de faire l'année suivante ?

_____

Colloque sentimental

En regardant le texte à la page 133 de _Bonne continuation_, écoutez le poème _Colloque sentimental_ de Paul Verlaine récité par Florence Carayon.

Mère Awa

En regardant le texte à la page 141 de _Bonne continuation_, écoutez le poème _Mère Awa_ de Malick Fall récité par Taïeb Berrada.

Pour travailler les formes et structures

Les pronoms (*Bonne continuation*, pp. 146–149)

A. Un nouveau copain

Vous (étudiante de français) venez de faire la connaissance d'un jeune Français, Jean-Yves, et vos copines, très curieuses, vous posent des questions auxquelles vous répondez en utilisant des pronoms quand c'est possible.

> *Modèle :* Elles : Tu vois Jean-Yves souvent ? Vous *: Oui, je le vois souvent.*

1. Elles : Vous vous êtes rencontrés à la Table française ?

   Vous : Oui, _____

2. Elles : La France manque à Jean-Yves ?

   Vous : Oui, _____

3. Elles : Il te parle de sa famille ?

   Vous : Oui, _____

4. Elles : Il téléphone souvent à ses parents ?

   Vous : Non, _____

5. Elles : Il a des frères et des sœurs ?

   Vous : Non, _____

6. Elles : Il joue au foot ?

   Vous : Bien sûr, _____

7. Elles : Il parle couramment l'anglais ?

   Vous : Non, _____

8. Elles : Il va sortir avec toi et ton frère ce week-end ?

   Vous : Oui, _____

9. Elles : Tu es amoureuse de Jean-Yves ?

   Vous : Non, _____

10. Elles : Tu veux inviter Jean-Yves chez tes parents le week-end prochain ?

Vous : Oui, _____

11. Elles : Il connaît déjà l'Amérique ?

Vous : Non, _____

Voir le corrigé à la page 146

B. Il hésite

Un ami timide, qui voudrait se fiancer avec sa copine Cécile, vous demande des conseils. Encouragez-le en répondant à ses questions et donnez-lui des conseils à l'aide de l'impératif. Utilisez des pronoms quand c'est possible.

Modèle : Est-ce que je dois téléphoner à Cécile ? *Oui, téléphone-lui.*

Est-ce que je dois dire à Cécile que je la trouve sympa ? *Oui, dis-le lui.*

1. Lui : J'ai peur de dire à Cécile que je voudrais l'épouser.

Vous :Vas-y ! _____

2. Lui : Je demande la permission à son père ?

Vous : Non, _____

3. Lui : Je dois offrir des fleurs à Cécile ?

Vous : Bien sûr, _____

4. Lui : J'invite Cécile à dîner chez moi ?

Vous : Pourquoi pas ? _____

5. Lui : Nous devrions aller en France en voyage de noces?

Vous : Oui, _____

Voir le corrigé à la page 146

Pour travailler les formes et structures

Les articles (*Bonne continuation*, pp. 149–151)

C. Une lettre d'amour

Mettez l'article convenable dans les blancs de cette lettre.

Mon amour,

Tu es _____ seule femme que j'aie jamais aimée. Je n'oublierai jamais _____ première fois que je t'ai

vue. Tu portais _____ jean déchiré, _____ t-shirt taché de peinture, _____ vieilles chaussures de tennis,

pas _____ chaussettes. Je voyais tout de suite que tu ne t'étais pas lavé _____ cheveux depuis plusieurs

jours, que tu n'aimais pas _____ maquillage ni _____ bijoux. Tu étais à _____ terrasse de ce café qui

attire tant _____ artistes, en train de déjeuner avec _____ amis peintres comme toi. C'était _____

coup de foudre. Depuis ce jour, je ne pense qu'à toi. _____ nuit, je rêve de toi. Pendant _____ journée,

je t'écris. Je dépense la plupart _____ argent que je gagne (mais il faut le dire, je gagne peu _____

argent) à t'offrir _____ cadeaux. Quand nous marierons-nous ?

Ton fiancé attentionné, Serge

Voir le corrigé à la page 147

Le subjonctif (*Bonne continuation*, pp. 151–155)

D. La jeunesse et l'amour

Votre petite sœur qui n'a que douze ans, est amoureuse. Vous croyez qu'elle exagère. Dites-lui ce que vous en pensez en utilisant les expressions données. Faites les changements nécessaires.

Modèle : La petite sœur : Il vient me voir tous les jours.

Vous : *Il est impossible qu'il vienne te voir tous les jours.*

1. La petite sœur : Ce garçon est parfait !

   Vous : Il est douteux que _____

2. La petite sœur : Mais nous nous aimons.

   Vous : Il est possible que _____

3. La petite sœur : Il veut passer tout son temps avec moi.

   Vous : Il est ridicule que _____

4. La petite sœur : Nous ne faisons plus rien l'un sans l'autre.

   Vous : Il n'est pas bon que _____

5. La petite sœur : Il sait écrire les plus belles lettres d'amour.

   Vous : Je ne crois pas que _____

Voir le corrigé à la page 147

E. La vieillesse et l'amour

Vos grands-parents viennent de fêter leurs cinquante ans de mariage. Quelles sont leurs idées sur le mariage ? Complétez les phrases en utilisant les éléments donnés. Faites les changements nécessaires.

Modèle : Il est possible de/rester avec la même personne/toute sa vie.

Il est possible de rester avec la même personne toute sa vie.

1. Il est important de/être facile à vivre/pour que/on/pouvoir se supporter longtemps

_____

2. Il faut que/on/ se connaître bien/avant de/se marier

_____

3. On peut être heureux bien que/on/ne pas être toujours d'accord

_____

4. Il est essentiel de se parler/jusqu'à ce que/on/se comprendre

_____

5. On doit accepter les idées de son partenaire/à moins que/elles/être/dangereuses.

_____

6. Nous avons peur que les jeunes d'aujourd'hui/ne plus vouloir/se marier

_____

7. La société sera endommagée à moins que/le mariage/redevenir/ce qu'il était de nos jours.

_____

Voir le corrigé à la page 147

F. La vie à deux

Un jeune couple parle de leur passé et de leur vie ensemble. Parfois ils sont d'accord mais pas toujours.

Donnez la réaction du partenaire selon l'expression indiquée.

Modèle : Tu es perdu sans moi. *Est-il certain que je sois perdu sans toi ?*

1. Nous vivons ensemble depuis trois ans.

Il est vrai que _____

2. Nous nous sommes connus à un concert de rock.

Je ne crois pas que _____

3. Tu m'as invitée à prendre un café.

Je suis content(e) que _____

4. Je ne veux plus jamais vivre sans toi.

C'est étonnant que _____

5. Nous nous entendons parfaitement.

Mais je doute que _____

Voir le corrigé à la page 147

Pour travailler les formes et structures

Les adverbes (*Bonne continuation*, pp. 155–157)

G. Un mariage heureux

Formez l'adverbe sur l'adjectif donné et mettez-le dans la phrase.

Modèle : Ils se parlent toujours (gentil) *Ils se parlent toujours gentiment.*

1. Ils s'aiment depuis des années. (tendre)

_____

2. Pourtant, après la naissance de leur premier enfant, ils se sont séparés. (bref)

_____

3. C'était la seule fois où ils s'étaient disputés. (heureux/sérieux)

_____

4. Mais, avec l'aide de leurs amis, ils se sont réconciliés (facile)

_____

5. Quand il voyage, elle lui manque (constant) et il lui téléphone (fréquent).

_____

6. Elle lui parle (doux) de ses problèmes et l'écoute (attentif) quand il répond.

_____

Voir le corrigé à la page 147

Unité 4 – Le passé dans le présent

Pour enrichir votre vocabulaire

I. Travaux de dictionnaire (*Bonne continuation*, pp. 160–161)

A. Qu'est-ce qu'on trouve dans un dictionnaire ?

Cherchez les mots suivants dans un bon dictionnaire français (*Le Petit Robert*, par exemple). Qu'est-ce que vous y apprenez sur ces mots ? Indiquez le nom du dictionnaire dont vous vous êtes servi, puis :

a) la partie du discours: nom, verbe transitif, verbe intransitif, etc.

b) le nombre de définitions

c) synonymes, s'il y en a

d) antonymes, s'il y en a

e) la définition qui correspond le mieux à votre sens de ce mot

f) un exemple d'usage

g) d'autres mots de la même famille ou qui ont le même radical [*root*] (adjectifs, noms, verbes, etc . . .)

   NB: Il vous faudra peut-être chercher un peu, mais lisez soigneusement les définitions.

1. le droit _____

_____

_____

_____

2. l'échec _____

_____

_____

_____

3. s'appuyer _____

_____

_____

4. le fonctionnaire _____

_____

_____

5. renier _____

_____

_____

B. Famille de mots

Voici une liste de mots de la même famille que certains mots du champ de vocabulaire. Trouvez d'abord le mot du champ de vocabulaire qui correspond. Puis cherchez le mot de la liste dans le dictionnaire et identifiez la partie du discours. Finalement, utilisez le mot de la liste dans une phrase.

1. frontalier _____

_____

2. gréviste _____

_____

3. lutteur _____

_____

4. moyennant _____

_____

5. entrepreneur _____

_____

Voir le corrigé à la page 148

II. Champ de vocabulaire (*Bonne continuation*, pp. 160–161)

A. Des définitions

Trouvez le mot du champ de vocabulaire qui correspond aux définitions ci-dessous.

1. une provocation (au Moyen Age, à un combat particulier) _____

2. personne qui entend ou voit quelque chose et qui peut être appelé à le rapporter _____

    _____

3. qui se fait en cachette, en secret _____

    _____

4. compétition, rivalité _____

5. période historique _____

6. abandonner _____

7. refuser de travailler _____

8. long poème racontant des aventures héroïques _____

9. évènement pénible, malheur qui éprouve le courage _____

10. rassemblement public de personnes pour exprimer une opinion _____

Voir le corrigé à la page 148

B. Les antonymes

Trouvez dans la colonne B le mot qui a le sens opposé au mot de la colonne A.

A.   B.

1. indigène _____   a. reconnaître

2. la victoire _____   b. étranger

3. faire la grève _____   c. public

4. échec _____   d. allié

5. ennemi _____   e. travailler

6. renier _____   f. succès

7. clandestin _____   g. la défaite

Voir le corrigé à la page 148

C. Les sans-papiers

Remplissez les blancs dans le passage ci-dessous par la forme convenable des mots choisis d'après la liste. Faites les changements nécessaires.

clandestin / s'engager / arrêter / loi / lutte / frontière

Un ouvrier _____, celui qui passe la _____ sans visa, risque de se faire _____ par les agents du service d'immigration et expulser vers son pays d'origine. En Amérique, comme en France, il n'y a pas assez de personnes qui acceptent de _____ dans la _____ pour les droits de ces gens qui cherchent du travail. Il faudrait peut-être changer les _____ en ce qui concerne l'immigration.

Voir le corrigé à la page 148

D. Le nouvel héros

Remplissez les blancs dans le passage ci-dessous par la forme convenable des mots choisis d'après la liste. Faites les changements nécessaires.

chercheur / aventurier / concurrence / expérience / progrès / défi

Dans le monde de nos jours, restent-ils des _____ pour l'homme ou a-t-on déjà tout fait, tout découvert ? C'est peut-être plus dans les laboratoires que dans le domaine des exploits physiques, que l'homme actuel essaie de se distinguer. Le nouvel _____ dans les sciences, des _____ continuent à faire des _____, à la recherche de remèdes contre le SIDA, le cancer, etc. _____ est lent et parfois la _____ entre scientifiques crée des problèmes.

Voir le corrigé à la page 148

Pour enrichir votre vocabulaire

Pour vous préparer à la lecture

A. La langue de chez nous (*Bonne continuation*, pp. 163–164)

Des images

Dans la poésie, comme dans les chansons, on trouve souvent des comparaisons ou des images. Si vous

étiez poète, à quoi compareriez-vous une langue ? Trouvez au moins trois comparaisons.

_____

_____

_____

Le passé et le présent

Comment une langue représente-t-elle le passé de ceux qui la parlent ? Et comment une langue change-

t-elle pour s'adapter au présent ?

_____

_____

_____

_____

B. Jeanne d'Arc (*Bonne continuation*, pp. 165–172)

Histoire

Quelles sont les différences entre un texte historique et un conte ou un roman ? Quel est le but d'un

texte historique ? et d'un conte ?

_____

_____

_____

_____

_____

Vocabulaire

Dans le champ de vocabulaire (*Bonne continuation*, pp. 160–161), trouvez dix mots qui vous semblent

essentiels pour comprendre un texte qui raconte des événements historiques qui se passèrent au

15ème siècle.

_____

_____

_____

_____

Fond

A certaines époques (au Moyen Age en Europe, aux 17ème et au 18ème siècles en Amérique), on redoutait l'influence du diable, surtout sur les femmes, qu'on brûlait ou noyait parfois comme sorcières. Pour quelles raisons accusait-on une femme de sorcellerie ? Qu'est-ce qu'il y avait dans son comportement qui attirait une telle accusation ?

_____

_____

_____

_____

_____

_____

C. Jehanne d'Arc (*Bonne continuation*, pp. 173–175)

La foi

Vous avez lu l'histoire de Jeanne d'Arc (*Bonne continuation*, pp. 165–172). Quels aspects de cette histoire aurait-on du mal à croire aujourd'hui ?

_____

_____

_____

_____

Contacts

Qu'est-ce qui sépare l'Angleterre et la France ? Quels sont les moyens de transports possibles entre ces deux pays ? Lequel est le plus ancien ? le plus rapide ? le plus récent ? Si vous deviez faire ce voyage, quel moyen de transport choisiriez-vous ? Pourquoi ?

_____

_____

_____

_____

_____

_____

_____

D. La fuite de la main habile (*Bonne continuation*, pp. 176–183)

Autrefois

À certaines époques, il y a des pays qui encouragent l'immigration, qui « invitent » des ouvriers quali-
fiés à venir y travailler. Décrivez la situation économique et sociale d'un pays qui accueillerait des
immigrés.

_____

_____

_____

_____

_____

L'individu

Pour quelles raisons une personne quitterait-elle son pays d'origine pour travailler dans un pays
étranger ? Pourquoi ne revient-on pas toujours à son pays d'origine ?

_____

_____

_____

_____

_____

E. Sans-papiers : les parrainages de l'urgence (*Bonne continuation*, pp. 186–189)

Titre

De quels papiers s'agit-il dans ce titre ? Quand un agent de police français vous demande vos papiers,
qu'est-ce qu'il veut voir ?

_____

_____

_____

Fond

Enumérez les problèmes potentiels de quelqu'un « en situation irrégulière », c'est-à-dire, qui n'a pas de papiers (un « sans-papiers »). Quels risques court cette personne ?

_____

_____

_____

_____

_____

_____

E. Cinq semaines en ballon : voyage de découvertes en Afrique par trois Anglais (*Bonne continuation*, pp. 193–206)

Auteur

Que savez-vous sur Jules Verne ? Comment peut-on expliquer le fait qu'on lit encore ses œuvres ?

_____

_____

_____

_____

_____

_____

Aventures

Que fait un romancier pour retenir l'intérêt de son lecteur ? A quoi s'attend le lecteur d'un roman

d'aventures ?

_____

_____

_____

_____

_____

_____

F. Le tour du monde en ballon (*Bonne continuation*, pp. 209–212)

Imaginez

Comment se déroulerait un voyage en ballon, selon vous ? Pourquoi y a-t-il encore des gens qui voyagent en ballon alors qu'il y a tant d'autres façons de voyager plus rapides ?

_____

_____

_____

_____

_____

_____

Problèmes

Qu'est-ce qui rend un voyage en ballon difficile ?

_____

_____

G. Synthèse

Le passé est sans importance : pour ou contre ?

Quels éléments du passé jouent encore un rôle dans le monde actuel ?

Pour vous préparer à l'écoute

La langue de chez nous

En regardant le texte aux pages 163–164 de *Bonne continuation*, écoutez la chanson *La langue de chez nous* chantée par Yves Duteil.

L'Histoire et le poids (influence) du passé

Pré-écoute

Contexte : Elisabeth et Taïeb parlent de l'importance des connaissances historiques dans l'enseignement français et ils comparent la culture générale des étudiants français et américains. Ensuite, ils examinent l'influence du passé dans le présent, dans la culture française surtout. Regardez le vocabulaire ci-dessous et lisez les questions de compréhension avant d'écouter leur conversation.

Vocabulaire

Quelques mots apparentés que vous allez entendre

assimiler	descendants
catholicisme	ethnique
catholique	identité
colonialisme	islam

Quelques mots utiles à la compréhension

acquis	*acquired*
cibler	*to target*
colons	*colonists*
cours préparatoire	*primary school grade*
débarquement	*landing*
découler	*to follow from*
droits	*rights*
engagé	*involved*
esclaves	*slaves*
étendue	*(adj) broad ; (n) breadth*
frontières	*borders*
importer	*to take precedence, to matter*
laïque	*secular, non religious*
Mai 68	*period of political and social upheaval*
mélanger	*to mix, to confuse*
millénaire	*millenial*
ouverture	*opening*
patrimoine	*cultural heritage*
primordial	*fundamental*
racines	*roots*
réclamer	*to demand*
reconnu	*recognized*
ressentir	*to feel*
revendiquer	*to demand*
terroir	*territory, soil (for products), rural (style)*
tranche d'âge	*age group*

Questions de compréhension

1. Selon Elisabeth, quelle différence y a-t-il entre les étudiants américains et les étudiants français, en ce qui concerne leurs connaissances de l'histoire avant d'arriver à l'université ?

_____

2. Quelle est l'explication de Taïeb pour cette différence ?

_____

3. Dans quel domaine, les étudiants américains surtout, semblent-ils avoir des problèmes ?

_____

4. Qu'est-ce qui montre le poids de l'histoire dans la culture française selon Taïeb ?

_____

5. Comment l'histoire coloniale explique-t-elle pourquoi les jeunes, en France, ne partagent pas le même passé ?

_____

6. Sur quoi la société américaine est-elle basée, plus que la société française ? Quelle différence entre l'histoire des deux pays peut expliquer cela ?

_____

7. Quels groupes veulent être reconnus et se rattachent au passé, aux Etats-Unis ?

_____

8. Quels sont las deux phénomènes qui expliquent pourquoi les Français s'attachent encore plus aujourd'hui aux valeurs du passé, selon Elisabeth ? De quoi ont-ils peur ?

_____

9. Quels Français semblent les plus attachés à la notion d'un territoire français ?

_____

10. La France est un pays laïque, mais elle a de fortes traditions religieuses. Quelle religion est encore très présente et fait partie des valeurs du passé ? Qu'est-ce qui explique que l'islam est maintenant la deuxième religion en France ?

_____

_____

Le poids du passé chez les Américains

1. A votre avis, quels mots représentent le mieux les valeurs du passé dans la société américaine ?

_____

2. Trouvez-vous que les Américains en général, ou bien certains Américains, s'attachent encore à ces valeurs ? Expliquez.

_____

_____

_____

Des problèmes de papiers

Pré-écoute

Contexte : Taïeb est de nationalité marocaine mais il a fait ses études universitaires en France. Maintenant il étudie aux Etats-Unis. Il parle de certaines difficultés qui accompagnent le changement de pays en général et il raconte son expérience personnelle. Regardez le vocabulaire ci-dessous et lisez les questions de compréhension avant d'écouter le passage.

Vocabulaire

Quelques mots apparentés que vous allez entendre

accord	obstacles
consulat	procédures
contraintes	touriste
document	transit
expire	validité
financière	

D'autres mots utiles à la compréhension

ambassade	*embassy*
attestation	*certificate*
bouché	*blocked*
carte de séjour	*resident permit*
contraignant	*restricting*
couverture sociale	*health insurance*
flux migratoires	*flood of immigrants*
moyens	*financial means*
préfecture	*police headquarters*
régularisé	*straightened out, legalized*
renouveler	*renew*
répit	*respite, break*
valable	*valid*

Unité 4 – Le passé dans le présent   **127**

Questions de compréhension

1. D'où vient Taïeb et pourquoi est-il allé en France ?

_____

2. Selon Taïeb, pourquoi est-ce difficile d'obtenir un visa pour aller en France ?

_____

3. Pour faire des études en France, qu'est-ce qu'il faut avoir en plus du visa ? Qu'est-ce qu'il faut faire

pour avoir ce document et pendant combien de temps est-ce valable ?

_____

_____

4. Pourquoi Taïeb était-il obligé d'obtenir un visa touristique au consulat français à Atlanta pour

retourner en France ?

_____

5. Taïeb avait pour destination la France, mais pour quelle destination a-t-il dû acheter son billet, pour

faire semblant d'être seulement en transit en France ?

_____

6. Pourquoi Taïeb peut-il être plus tranquille maintenant ?

_____

7. Taïeb a eu des difficultés en tant qu'étudiant, mais qui a encore plus d'obstacles, en ce qui concerne

les papiers et le déplacement ?

_____

8. Quel avantage ont les Américains et les résidents des pays de l'Union européenne qui ont signé les

accords de Schengen[2] ?

_____

[2]Agreements, originally signed in Schengen, Luxembourg, between certain European governments allowing more freedom of movement between their countries

Pour vous préparer à l'écoute

Pour travailler les formes et structures

Faire causatif (*Bonne continuation*, p. 214)

A. Qui est responsable ?

Après une manifestation, un journaliste pose des questions aux témoins qui expliquent qui est responsable, selon eux, en utilisant le *faire causatif*

> *Modèle :* À la police : Vous avez arrêté les militants ? *Non, les juges ont fait arrêter les*
>
> *militants.*

1. À un policier : Les militants parlent ? Non, nous _____

_____

2. Au gouvernement : Vous enfermez les militants ? Non, les juges _____

_____

3. Aux juges : Vous critiquez les militants ? Non, le gouvernement _____

_____

4. À un militant : Vous avez mis le feu à une voiture ? Non, mais je sais qui _____

_____

5. Au chef des militants : Ferez-vous une grève de la faim ? Oui, nous _____

_____

Voir le corrigé à la page 148

Faire causatif/ *rendre* (*Bonne continuation*, p. 214, p. 54)

B. Quelle en est la cause ?

Finissez la question avec *faire* ou *rendre*. Attention au sujet !

Modéle : Elle est malade. Qu'est-ce qui la *rend malade* ?

Les enfants pleurent. Qui les *fait pleurer* ?

1. Je suis très triste. Qu'est-ce qui t(e) _____

2. Il écrit une lettre au maire. Qui lui _____

3. Nous manifestons contre la guerre. Qu'est-ce qui vous _____

4. Mon patron est furieux. Qui l(e) _____

5. Vous pleurez. Qu'est-ce qui vous _____

Voir le corrigé à la page 148

Pronoms relatifs (*Bonne continuation*, pp. 215–217)

C. Droit au logement

Un militant explique comment il veut aider les sans-papiers. Remplissez les blancs par le pronom relatif convenable.

Les sans-papiers, surtout ceux _____ la famille est venue en France avec eux, ont souvent du mal à se payer un appartement, où ils peuvent vivre en attendant la régularisation de leur situation. _____ nous ne pouvons pas accepter, c'est que dans beaucoup de villes, il y a des immeubles vides, _____ les propriétaires ont plus ou moins abandonnés. Ne devrions-nous pas trouver les moyens d'utiliser ces bâtiments, pour ces clandestins, _____ vivent dans des conditions déplorables, souvent dans la rue, avec leurs enfants _____ ne peuvent même pas aller à l'école ? Je ne comprends pas _____ nous fait hésiter à les aider. Nous nous adresserons au maire _____ je connais personnellement . Nous organiserons une manifestation _____ nous inviterons tous les habitants de notre ville. J'accepte de me faire arrêter par la police, _____ je n'ai pas peur si la cause est bonne.

Voir le corrigé à la page 148

D. C'était plus facile autrefois

Un immigré congolais explique qu'autrefois la situation des étrangers en France était un peu différente.

Combinez les phrases en utilisant des pronoms relatifs et faites tous les changements nécessaires.

Modèle : Il y avait beaucoup d'ouvriers immigrés. On avait besoin de ces ouvriers immigrés.

Il y avait beaucoup d'ouvriers immigrés dont on avait besoin.

Il y avait moins de chômage. On ne parle pas de cela aujourd'hui.

Il y avait moins de chômage, ce dont on ne parle pas aujourd'hui.

1. On accueillait les immigrés. Il y avait du travail pour ces immigrés.

_____

2. Les Français ne voulaient plus faire le travail. Les immigrés acceptaient de faire ce travail.

_____

3. Il y avait aussi des intellectuels et écrivains. On publiait leurs oeuvres à Paris.

_____

4. Beaucoup d'étudiants africains faisaient leurs études en France. Les étudiants africains avaient passé leur baccalauréat chez eux.

_____

_____

5. Ils ont souvent épousé des Françaises. Leurs familles n'acceptaient pas toujours cela.

_____

6. Un Africain est même devenu maire d'une petite ville en Bretagne. Cela m'étonne.

_____

7. Autrefois, la situation des immigrés était plus facile. On oublie souvent cela.

_____

Voir le corrigé à la page 149

Pronoms démonstratifs (*Bonne continuation*, pp. 217–219)

E. Questions historiques et littéraires

Remplissez les blancs par le pronom démonstratif convenable.

1. La jeune fille la plus courageuse ? C'était _____ que l'on nommait la Pucelle.

2. Le roi le plus connu ? C'est _____ qui s'appelait le Roi soleil.

3. La reine dont on a coupé la tête, c'est _____ qui était autrichienne.

4. La guerre la plus terrible pour la France ? C'est _____ qui a commencé en 1914.

5. Le plus grand château ? C'est _____ où l'on a signé le traité qui a mis fin à la Première guerre

mondiale.

6. Les comédies que l'on joue le plus souvent ? Ce sont _____ de Molière.

7. Les romans naturalistes les plus importants ? Ce sont _____ d'Emile Zola.

8. Le monument que l'on visite le plus souvent en France ? C'est _____ qui se trouve sur l'Ile de la Cité.

Voir le corrigé à la page 149

Style ou discours indirect (*Bonne continuation*, pp. 219–221)

F. Qu'est-ce qu'elle a dit ?

Vous êtes journaliste et vous présentez une interview avec une Française qui veut partir seule au Pôle Sud. Mettez ses réponses au style indirect. Utilisez les verbes entre parenthèses, au passé composé. Faites les changements nécessaires.

> *Modèle :* Mon équipe ne partira pas avec moi. (dire) *Elle a dit que son équipe ne partirait pas avec elle.*

1. Mon projet est audacieux. (avouer)

_____

2. Je partirai pour le Pôle Sud en décembre. (affirmer)

_____

3. Shackelton y est allé en 1907. (expliquer)

_____

4. La plupart de ses hommes sont morts. (ajouter)

_____

5. Je n'amènerai personne avec moi. (dire)

_____

6. Alcatel finance mon projet. (déclarer)

_____

Voir le corrigé à la page 149

G. Que vouliez-vous savoir ?

Vous expliquez quelles questions vous avez posées à cette femme audacieuse. Mettez-les au style indirect, en utilisant les verbes entre parenthèses, au passé. Faites les changements nécessaires.

Modèle : Est-ce que sa famille la soutient ? (se demander) *Je me suis demandé si sa famille la soutenait.*

1. Pourquoi voulez-vous faire cela ? (demander)

_____

2. Quand reviendrez-vous ? (vouloir savoir)

_____

3. Est-ce que vous avez lu le livre de Shackelton ? (demander)

_____

4. Qu'est-ce que vous apportez avec vous ? (vouloir savoir)

_____

5. N'est-ce pas trop dangereux ? (demander)

_____

Voir le corrigé à la page 149

Pour travailler les formes et structures

Corrigé

Unité préliminaire (p. 1)

Pour travailler les formes et structures (p. 1)

A. Des généralisations

1. ils font/nous faisons/je fais/il fait – 2. ils lisent/nous lisons/je lis/il lit – 3. ils achètent/nous achetons/j'achète/il achète – 4. ils croient/nous croyons/je crois/il croit – 5. ils prennent/nous prenons/je prends/il prend – 6. ils offrent/nous offrons/j'offre/il offre – 7. ils veulent/nous voulons/je veux/il veut – 8. ils rendent/nous rendons/je rends/il rend – 9. ils ont/nous avons/j'ai/il a – 10. ils écrivent/nous écrivons/j'écris/il écrit

B. Mais non !

1. Mes amis et moi, nous ne regardons pas . . . – 2. Parmi mes amis, personne n'aime . . . – 3. Je n'achète rien . . . – 4. Il ne porte jamais de jeans. – 5. Je n'ai plus envie de discuter.

C. De retour en France

1. Je n'ai mangé ni steaks ni hamburgers – 2. Je n'ai jamais parlé . . . – 3. Aucun match ne m'a plu – 4. Il n'y a guère d'Américains qui . . . – 5. Elle n'a pas encore visité la France – 6. Il ne me reste plus d'argent.

Unité 1 (p. 7)

Pour enrichir votre vocabulaire (p. 7)

I. B. Familles de mots

1. fou/folle – 2. jeune – 3. bête – 4. prix – 5. joli – 6. mou/molle – 7. célèbre – 8. goût – 9. connaisseur –

10. sombre

II. A. Des définitions

1. un amateur – 2. réaliser – 3. l'atelier – 4. la critique – 5. émouvant – 6. le génie – 7. un musée –

8. la réussite – 9. peindre – 10. le goût

B. Un Connaisseur

impressionnistes/couleurs/prix/chefs-d'œuvre/génie/amateur (collectionneur)/goût/valait/musée/salles

III. A. Pour situer les actions dans le temps

Exemple d'une possibilité

1. d'abord – 2. ensuite – 3. plus tard – 4. alors – 5. enfin

B. Le cadeau

Quand/après/Alors/avant de/avant qu'/Puis/Enfin

C. Picasso

mais/Puisqu'/À cause de/parce qu'/En plus/Pourtant

Pour vous préparer à la lecture (p. 15)

A. La cathédrale

1. passé simple/s'arrêter – 2. passé simple/revenir – 3. futur/céder – 4. imparfait/appartenir –

5. impératif/écrire – 6. plus-que-parfait/demander – 7. passé simple/devoir – 8. passé simple/être –

9. passé simple/faire – 10. présent/déplaire

C. Pour faire le portrait d'un oiseau

1. g – 2. h – 3. d – 4. e – 5. f – 6. i – 7. b – 8. c – 9. a

Pour travailler les formes et structures (p. 35)

A. Claude Monet par lui-même

Je suis né/on méprisait/s'est écoulée/s'était installé/était (a été)/j'étais/n'a jamais pu/c'était/j'ai appris/m'a fait/n'ai jamais pu/était/faisait

j'ai vécu/j'avais appris/se sont bornées/n'étaient pas/décorais/représentais/j'étais/a été/sollicitait/J'ai décidé/j'ai demandé/avait doublé

B. Plus tard, Monet fait son service militaire, en Afrique du Nord.

j'obtins : j'ai obtenu/je partis : je suis parti/je passai : j'ai passé/furent : ont été/j'y appris : j'y ai appris/gagna : a gagné/je ne m'en rendis pas : je ne m'en suis pas rendu/je reçus : j'ai reçu.

C. Parlons de l'art

1. cette grande toile/peinte/elle/connue/elle/émouvante/la toile favorite – 2. cette femme artiste/ elle/jalouse/qu'elle/elle/devenue/folle – 3. cette belle nature morte/elle/élégante/ somptueuse/ridicule – 4. vives/fraîches/gaies/lumineuses – 5. cette nouvelle/la/froide/organisée/elle/laide

D. Un contraste

l'année dernière/vieille et gentille marchande/tableaux contemporains/dame âgée/mon ancienne patronne/teintes vives/grande galerie/toiles plus anciennes/dorés/couleurs sombres/aucune surprise/vrai don/débutants/nouveaux tableaux/prix plus raisonnables/jeunes collectionneurs riches/œuvres curieuses/artistes inconnus/nouvelles maisons/bureaux impressionnants

E. Des proverbes

1. C'est en peignant qu'on devient peintre – 2. C'est en dansant qu'on devient danseur – 3. C'est en sculptant qu'on devient sculpteur – 4. C'est en dessinant qu'on devient dessinateur – 5. C'est en chantant qu'on devient chanteur – 6. C'est en écrivant qu'on devient écrivain – 7. C'est en courant qu'on devient coureur – 8. C'est en nageant qu'on devient nageur – 9. C'est en skiant qu'on devient skieur – 10. C'est en bricolant qu'on devient bricoleur.

F. Le sort d'une toile

1. Un inconnu a peint cette aquarelle en 1890 – 2. On avait oublié l'artiste pendant un certain temps –

3. On a découvert cette toile dans un grenier il y a 10 ans – 4. Aujourd'hui tous les amateurs d'art impres-

sionniste admirent cette toile – 5. Le directeur du musée a acheté le tableau – 6. On a dû payer un prix

exorbitant – 7. On l'accrochera dans la salle d'entrée – 8. Cette aquarelle attirera beaucoup de visiteurs.

G. Des sens possibles

1. b. had to – 2. c. ought to – 3. c. should have – 4. a. was supposed to – 5. b. have to

Unité 2 (p. 47)

Pour enrichir votre vocabulaire (p. 47)

I. B. Familles de mots

1. le marchand – 2. la mort – 3. la puissance – 4. coupable – 5. le conte

II. A. Des définitions

1. la vertu – 2. l'aîné – 3. empêcher – 4. un procès – 5. un époux (une épouse) – 6. un événement –

7. un sorcier – 8. malin – 9. redoutable – 10. l'orgueil

B. Des antonymes

1. c – 2. i – 3. e – 4. a – 5. f – 6. g – 7. b – 8. h – 9. d

C. Le travail agricole

paysans/ bêtes/champs/récolte/seigneur

D. Une nouvelle vie

aîné/héritage/régner/mort/roi/cadet/cour/marchand/campagne/fidèle/paysanne/bonheur

Pour vous préparer à la lecture (p. 53)

A. Vocabulaire

1. voir – 2. aller – 3. être – 4. plaire – 5. venir

C. Vocabulaire et contexte

1. écurie : *stable* – foin : *hay* – avoine : *oats* – 2. l'avaient mouillé jusqu'aux os : *had soaked him to the bone* – se sécher : *to dry himself* – 3. las : *tired* – 4. coffre : *chest*

Pour vous préparer à l'écoute (p. 63)

A. La tour jusqu'à la lune

il a décidé – les gens ont tenu conseil – quelqu'un a eu – les autres ont trouvé – on a fait – les gens ont dû – le roi est arrivé – ils s'est mis à escalader – le roi a fini – les gens ont crié – ils ont fait – il s'est cassé

B. Tom Pouce

4. Quelques verbes que vous allez entendre

des brigands sont passés – le chef a appris – il est allé – ils ont fait – ils ont trouvé – il est devenu – il a su – ils ont pris – il est monté – il a grimpé – les gens se sont réveillés – ils ont été

Pour travailler les formes et les structures (p. 69)

A. La comparaison

1. Un roi a plus de biens qu'un paysan – 2. La maison d'un paysan est moins luxueuse qu'un palais – 3. Cette fille chante aussi doucement que la reine – 4. Les fées sont plus gentilles que les sorciers – 5. Un seigneur a autant de pouvoir qu'un noble – 6. Cette princesse danse mieux que sa sœur – 7. Un paysan travaille plus dur qu'un marchand – 8. Ces époux se disputent autant que mes parents – 9. En général les pères passent moins de temps avec leurs enfants que les mères – 10. Les versions originales des contes de fées sont meilleures que les dessins animés.

B. C'est extraordinaire

1. Je suis le plus intelligent – 2. Je fais le plus peur – 3. Je me comporte le plus mal – 4. Ma femme est la meilleure – 5. J'habite le plus grand palais – 6. Je sais le mieux voler – 7. Mes serviteurs sont les plus fidèles.

C. Aujourd'hui et demain

1. Nous vivrons dans un grand palais – 2. Il fera la sieste tous les jours – 3. Tu ne t'ennuieras jamais. Nous nous amuserons tout le temps – 4. J'aurai dix domestiques – 5. Elles seront jalouses de toi – 6. Nous irons à Paris – 7. Tu pourras manger des huîtres – 8. Elle ne devra plus le faire – 9. Elles pourront chanter et danser – 10. Vous vous coucherez dans de grands lits douillets.

D. Le conditionnel

1. que tu m'aimerais toujours – 2.qu'ils te respecteraient – 3. que je ne ferais plus la cuisine –

4. que la vie serait toujours facile – 5. que nous aurions cinq enfants.

E. La première nuit

1. b – 2. a – 3. b – 4. c – 5. b

F. Des conséquences curieuses

1. elle n'aurait pas parlé à la lune – 2. elle n'aurait pas eu d'enfant – 3. le gitan ne l'aurait pas tuée. –

4. la lune n'aurait pas pu bercer le bébé – 5. nous ne la lirions pas/nous ne l'aurions pas lue.

G. Vous et les contes

1. Qui – 2. Quel – 3. Qui est-ce que – 4. Qu'est-ce qui – 5. Que – 6. Qu'est-ce que – 7. Qui – 8. Quelle –

9. Que – 10. quelles – 11. Quoi

H. La pauvre bête

1. Pourquoi ne veux-tu pas m'épouser ?/Pourquoi est-ce que tu ne veux pas m'épouser ? – 2. Qui as-tu

vu dans le miroir ?/Qui est-ce que tu as vu ? /Où as-tu vu ton père ? /Où est-ce que tu as vu ton père ? –

3. Comment voyageras-tu ?/Comment est-ce que tu voyageras ? – 4. Quand reviendras-tu ?/Quand est-ce

que tu reviendras ? – 5. Avec qui passeras-tu du temps ?/Avec qui est-ce que tu passeras du temps ?

Unité 3 (p. 79)

Pour enrichir votre vocabulaire (p. 79)

I. B. Famille de mots

1. s'énerver – 2. se plaindre – 3. s'expliquer – 4. avouer – 5. s'entendre

II. A. Des définitions

1. les fiançailles – 2. le coup de foudre – 3. s'énerver – 4. s'entendre – 5. soucieux – 6. dorloter –

7. fréquenter – 8. divorcer – 9. le cœur

B. Des antonymes

1. h – 2. g – 3. d – 4. a – 5. c – 6. b – 7. f – 8. e

C. Une histoire tragique

le coup de foudre/ m'a invitée/ l'homme de ma vie/ nous entendions/ fiancée/ installée/ quitter

D. La vie conjugale

marier/ épouser/ a quitté/ manquait (a manqué)/ l'embrasser/ se sont mariés/partir/ bonne humeur/

femme au foyer/ facile à vivre/ s'embrassent

Pour vous préparer à la lecture (p. 85)

D. Vocabulaire

1. d – 2. g – 3. h – 4. j – 5. i – 6. a – 7. c – 8. f – 9. e – 10. b

Pour travailler les formes et les structures (p. 99)

A. Un nouveau copain

1. Nous nous y sommes rencontrés – 2. Elle lui manque – 3. Il m'en parle – 4. Non il ne leur téléphone

pas souvent – 5. Il n'en a pas – 6. Il y joue – 7. Il ne le parle pas couramment – 8. Il va sortir avec nous –

9. Je ne suis pas amoureuse de lui – 10 Je veux l'inviter chez eux – 11. Il ne la connaît pas encore.

B. Il hésite

1. Dis-le-lui – 2. Ne la lui demande pas – 3. Offre-lui-en – 4. Invite-la chez toi – 5. Allez-y.

C. Une lettre d'amour ?

la/la/un/un/de/de/les/le/les/la/d'/des/le/La/la/de l'/d'/des

D. La jeunesse et l'amour

1. que ce garçon soit parfait – 2. que vous vous aimiez – 3. qu'il veuille passer tout son temps avec toi – 4. que vous ne fassiez plus rien l'un sans l'autre – 5. qu'il sache écrire les plus belles lettres d'amour.

E. La vieillesse et l'amour

1. Il est important d'être facile à vivre pour qu'on puisse se supporter longtemps – 2. Il faut qu'on se connaisse bien avant de se marier – 3. On peut être heureux bien qu'on ne soit pas toujours d'accord – 4. Il est essentiel de se parler jusqu'à ce qu'on se comprenne – 5. On doit accepter les idées de son partenaire à moins qu'elles soient dangereuses – 6. Nous avons peur que les jeunes d'aujourd'hui ne veuillent plus se marier – 7. La société sera endommagée à moins que le mariage redevienne ce qu'il était de nos jours.

F. La vie à deux

1. Il est vrai que nous vivons ensemble depuis trois ans – 2. Je ne crois pas que nous nous soyons connus à un concert de rock – 3. Je suis content(e) que tu m'aies invitée à prendre un café – 4. C'est étonnant que tu ne veuilles plus jamais vivre sans moi – 5. Je doute que nous nous entendions parfaitement.

G. Un mariage heureux

1. Ils s'aiment tendrement depuis des années – 2. Pourtant, après la naissance de leur premier enfant, ils se sont séparés brièvement – 3. Heureusement, c'était la seule fois où ils s'étaient disputés sérieusement – 4. Mais, avec l'aide de leurs amis, ils se sont réconciliés facilement – 5. Quand il voyage, elle lui manque constamment et il lui téléphone fréquemment – 6. Elle lui parle doucement de ses problèmes et l'écoute attentivement quand il répond.

Unité 4 (p. 107)

Pour enrichir votre vocabulaire (p. 107)

I. B. Famille de mots

1. la frontière – 2. la grève – 3. la lutte – 4. le moyen – 5. entreprendre

II. A. Des définitions

1. un défi – 2. le témoin – 3. clandestin – 4. la concurrence – 5. l'époque – 6. renoncer – 7. faire la grève – 8. l'épopée – 9. l'épreuve – 10. la manifestation

B. Les antonymes

1. b – 2. g – 3. e – 4. f – 5. d – 6. a – 7. c

C. Les sans-papiers

clandestin/ frontière/ arrêter/ s'engager/ lutte/ lois

D. Le nouvel héros

défis/ aventurier/ chercheurs/ expériences/ Le progrès/ concurrence

Pour travailler les formes et structures (p. 129)

A. Qui est responsable ?

1. Nous faisons parler les militants – 2. Les juges font enfermer les militants – 3. Le gouvernement fait critiquer les militants – 4. Je sais qui a fait mettre du feu à une voiture – 5. Nous ferons faire une grève de la faim.

B. Quelle en est la cause ?

1. Qu'est-ce qui te rend (t'a rendu) triste ? – 2. Qui lui fait écrire une lettre au maire ? – 3. Qu'est-ce qui vous fait manifester contre la guerre ? – 4. Qui le rend (l'a rendu) furieux ? – 5. Qu'est-ce qui vous fait pleurer ?

C. Droit au logement

dont/Ce que/que/qui/qui/ce qui/que/à laquelle/ce dont

D. C'était plus facile autrefois

1. On accueillait les immigrés pour qui il y avait du travail – 2. Les Français ne voulaient plus faire le travail que les immigrés acceptaient de faire – 3. Il y avait aussi des intellectuels et écrivains dont on publiait les œuvres à Paris – 4. Beaucoup d'étudiants africains qui avaient passé leur baccalauréat chez eux faisaient leurs études en France – 5. Ils ont souvent épousé des Françaises, ce que leurs familles n'acceptaient pas toujours – 6. Un Africain est même devenu maire d'une petite ville en Bretagne, ce qui m'étonne – 7. Autrefois la situation des immigrés était plus facile, ce qu'on oublie souvent

E. Questions historiques et littéraires

1. celle – 2. celui – 3. celle – 4. celle – 5. celui – 6. celles – 7. ceux – 8. celui

F. Qu'est-ce qu'elle a dit ?

1. Elle a avoué que son projet était audacieux – 2. Elle a affirmé qu'elle partirait pour le Pôle Sud en décembre – 3. Elle a expliqué que Shackelton y était allé en 1907 – 4. Elle a ajouté que la plupart de ses hommes étaient morts – 5. Elle a dit qu'elle n'amènerait personne avec elle. – 6. Elle a déclaré qu'Alcatel finançait son projet.

G. Que vouliez-vous savoir ?

1. Je lui ai demandé pourquoi elle voulait faire cela – 2. Je voulais savoir quand elle reviendrait – 3. Je lui ai demandé si elle avait lu le livre de Shackelton – 4. Je voulais savoir ce qu'elle apportait avec elle – 5. Je lui ai demandé si ce n'était pas trop dangereux.